辛　向陽　著

蒲田啓世　訳

中国の小康社会とは何か

グローバル科学文化出版

目　次

第五章　中国の偉大な社会変革の性質と歴史的な役割

第六章　偉大な復興のための「婁山関」

第一章　新時代の中国における小康社会

「小康」という言葉のルーツは『詩経』の「民も亦苦労し、小康を求む」といった一文で、すなわち庶民であっても休みがあれば、食べたり飲んだりし、楽しみさえあれば、それは小康、つまりゆとりある生活であると言える。社会モデルとしての「小康」は西漢の儒家経典『礼記』「礼運篇」の中で系統的に論述されたのが最初である。東漢末になると、儒家の代表人物である何休は『春秋公羊伝解詁』を著し、社会の発展には乱れた世（よく治まっていない世の中）、昇平の世（世の中が平和でよく治まっていること）、太平の世（平和な世の中）といった三つの段階があると述べた。これにおける第二段階の昇平の世は現代の「小康社会」と同じ意味である。小康の夢は数千年来中国の大地に伝わり広がっているのである。近代太平天国の農民蜂起の重要文書である「天朝田畝制度」では、封建的な土地所有制を撤廃した上で土地を分配する小康の理想が描かれている。また、「天朝田畝制度」では各家庭の養鶏数さえも規定されている。

一　小康社会思想の形成と発展

㈠　鄧小平の小康社会思想

一九七八年に中共第十一期中央委員会第三回全体会議（三中全会）が偉大な歴史的転換を実現した後、鄧小平はずっと中国発展における目標問題を考えてきた。一九七九年三月二十一日、鄧小平は英中文化協会のマクダナ会長と会見した際、初めて「中国式の四つの現代化」という新しい概念を打ち出し、「我々が決めた目標は今世紀末に四つの現代化を実現することだ。我々の概念は西洋と違い、これを仮に中国式の四つの現代化と言う。今の中国の技術水準はまだ西洋の五十年代の水準だが、もし今世紀末に西洋の七十年代の水準に達することができれば、それはとても素晴らしいことだ」と話した。その後も彼は繰り返しこの問題を考えて述べたのである。そして三月二十三日、鄧小平は中共中央政治局会議で自身が二日前に発案した「中国式の四つの現代化」を「中国式の現代化」と要約した。

一九七九年十二月六日、鄧小平は日本の大平正芳首相との会談時、「小康」といった言葉を使い中国式の現代化に関し「中国式の四つの現代化の概念は、あなたたちのような現代化の概念ではなく、『小康の家』であり、仮に今世紀末までに中国の四つの現代化が、一定の目標を達成しても、中国の国民総生産における一人当たりの水準はまだ低い。例えば第三世界の比較的裕福な国の水準に達するには、国民総生産は一人当たり一〇〇〇ドル以上が必要で、その為には大きな努力を払わなければならない」と話した。また、中共十二大では「一九八一年から今世紀末までの二十年間、中国の経済建設の奮闘目標は、経済効果を絶えず高めることを前提として、国内総生産（ＧＤＰ）を二倍にすることを目指している。この目標が実現されれば、都市部と農村部の人民の収入は倍になり、国民の物質文化生活は小康レベルに達することができる」といったことが確定された。これが中共の全国代表大会で初めて用いられた「小康」という概念であり、またそれを主な目標に、中国の国民経済と社会発展の段階的な目安としている。

鄧小平は二〇〇〇年の中国の「小康社会」について以下のように系統的な構想を持っていた。それは⑴一人当たりのＧＤＰは一九八〇年に比べて二倍になり、八〇〇―一〇〇〇ドルに達する。⑵人口は十二億五〇〇〇万人前後で安定して、人々の素質が大幅に向上。⑶国民総生産は一万―一万二〇〇〇億ドルに達する。⑷国民の生活は豊かではないが、生活は過ごしやすく、経済発展はすべての人に利益をもたらし、全員がそれなりの暮らしをしている。⑸対外貿易額は二〇〇〇億ドルに達する。⑹食糧の生産量は九六〇〇億キロに達する。⑺東西部地域の経済格差問題を際立たせて解決する。⑻第三世界の比較的裕福な国になる。⑼社会主義市場経済体制を初歩的に確立する。⑽教育費がＧＤＰを占める割合は五％前後であるべきである。⑾政治体制改革には大きな突破が必要である。⑿ハイテク分野においては、中国は世界における地位を占める、といった内容であった。

事実二〇〇〇年までに、鄧小平の構想の基本的な目標はすべて実現されたが、二〇〇〇年に達成した「小康」はまだ低い水準の、全面的ではない、発展がアンバランスなものであった。この時点で中国の生産力と科学技術、教育はまだ比較的に遅れていた。工業化と現代化を実現するにはまだ長い道のりがそこにはあった。都市と農村の二極化した経済構造はまだ変わっておらず、地域格差が拡大する傾向はまだ逆転していない。人口の総量は引き続き増加し、老齢人口の比重が上昇し、就業と社会保障の圧力が増大していった。しかし、生態環境、自然資源と経済社会の発展の矛盾は日に日に深刻化している。中国は依然として先進国における経済科学技術などの面で優位に立たなくてはならないといった圧力に直面していた。経済体制およびその他の方面の管理体制はまだ整っておらず、民主法制の建設と思想道徳の建設などの面ではまだ無視できない問題がある。この段階で達成された小康レベルはまだ安定性と向上が必要で、より高いレベルの小康に向けて邁進する必要があった。

(二) 全面的な小康社会思想を築く提案

二〇〇一年一月の中国全国宣伝部長会議での演説で、江沢民総書記は「人類社会は二十一世紀に入り、中国は小康社会の全面建設に入り、社会主義現代化建設の新たな発展段階を加速した」と指摘した。江沢民総書記はこの思想の根拠を提起した。(1) 鄧小平が提出した「三歩走」(三段階に分けて進める)の発展戦略に立脚する。社会主義の初期段階で基本的な現代化の任務を達成するには、段階的、長期的な努力が必要である。鄧小平は「三歩走」といった策略で基本的な現代化を実現するという壮大なビジョンを提案していた。その第一歩は一九八一年から一九九〇年までの間で、国民総生産を倍増させ、国民の衣食住問題を解決させる。第二歩では、一九九一年から二十世紀末までに国民総生産をさらに二倍にし、国民の生活は小康レベルに達する。第三歩は、二十一世紀中頃までに、一人当たりの国民総生産が中等先進国の水準に達し、国民の生活は比較的豊かで、基本的な現代化を実現する、といったものだ。二十世紀末までに、中国はすでに近代化建設の「三歩走」戦略の第一歩、第二歩目標を見事に実現し、中国国民の生活は全体的に小康レベルに達していた。(2) 現実に立脚した思考。二十世紀九十年代に、江沢民総書記は小康社会を全面的に建設し、第三の戦略目標を実現することについて、前向きな戦略的思考を行った。彼は中共十五大報告書の中で、第三歩の戦略目標を実現するビジョンを初歩的に描いた。二十一世紀の最初の十年間は中国の国民総生産が二〇〇〇年より倍増し、中国国民の小康生活をより豊かにし、比較的完備した社会主義市場経済体制を形成する。さらに十年の努力を経て、中共創立一〇〇年の時に、国民経済を更に発展させ、各制度は更に完備していく。二十一世紀半ばに新中国成立一〇〇年になると、基本的な現代化を実現し、富強民主文明の社会主義国家を建設する、といったものだ。中共第十五期中央委員会第五回全体会議（五中全会）ではさらに新世紀から小康社会を全面的に建設し、社会主義現代化を推し進める新たな発展段階に入ると提唱した。

二〇〇二年一月十四日、中共十六大文書起草組会議にて、江沢民総書記は一つの重要な演説を行った。その内容とは、明確に実効性のある小康社会を全面的に建設する目標を提起するものであった。彼は第一に、小康社会を全面的に建設する目標を明確に打ち出し、鄧小平の現代化実現に関する戦略思想に合致すると指摘した。小康社会を全面的に建設する段階的目標を明確に打ち出し、鄧小平の戦略構想と結びつけるとともに、新しい現実に基づいて鄧小平の段階的な近代化に関する重要な思想を体現していると述べた。第二に、小康社会を全面的に建設する目標を明確に打ち出した。これは中共十五大の新世紀に対するビジョン、中共第十五期中央委員会第五回全体会議（五中全会）が提出した中国が新たな発展段階に入るという要求と一致していた。第三に、小康社会を全面的に建設する目標を明確に打ち出した。これは中共の方向性と中国の民意に合致するとともに、中国のより一層良好な国際イメージの構築にも有利であった。全面的に小康社会を建設するという発案は、力を合わせ自身の目標をうまく成し遂げるという鄧小平の戦略思想とも一致している。第四に、小康社会を全面的に建設する目標は、中国の国情と現代化建設の現状に合致し、社会の全面的な発展と共同で豊かにする目標を実現することも見込まれた。

㈢　中共十六大で論述された小康社会の全面建設の主要目標

中共十六大で、江沢民総書記は小康社会を全面的に建設する奮闘目標に関して深く論述した。小康社会を全面的に建設するということは、すなわち現代化建設の第三段階の戦略目標を実現することで、前から後への引継ぎとしての発展段階でもあり、社会主義市場経済体制の整備と対外開放の拡大の鍵となる段階でもある。この段階の建設を経て、さらに何十年も奮闘し続け、今世紀半ばには基本的な現代化を実現し、中国を富強民主文明の社会主義国家に作り上げる。具体的な目標としては、小康社会を全面的に建設する――経済構造の最適化と効率の向上を基礎にし、国内総生産は二〇二〇年までに二〇〇〇年より二倍の倍増を目指し、総合的な国力と国際競争力は明らかに強化される。工業化を基本的に実現し、完備した社会主義市場経済体制とより活力があり、より開放的な経済体系を構築する。都市人口の比重が大幅に向上し、労農格差、都市部と農村部の格差と地域格差が拡大する傾向を徐々に逆転させる。

――社会保障体制は健全であり、社会への就業は比較的に容易で、家庭財産は普遍的に増加し、人民はより豊かな生活を送る。社会主義民主はさらに完備し、社会主義法制もさらに完備し、法に基づいて国を治める基本的な方策が全国的に実行され、人民の政治、経済と文化的権益は確実に尊重され、保障される。末端の民主はより健全で、社会秩序が良好で、人民の衣食住は安定し楽な生活を送ることが出来る。

――全民族の思想道徳のレベル、科学文化レベルと健康レベルが明確に向上し、完備された現代的な国民教育システム、科学技術と文化革新体制、全国民の健康と医療衛生体制を形成する。人民は良好な教育を受ける機会を有し、高校段階の教育が普及し、識字率一〇〇％を目指す。全国民が学び、生涯学習する学習型社会を形成し、人の全面的な発展を促進する。

――持続可能な発展能力は絶えず増強される。生態環境は改善され、資源利用効率は著しく向上し、人と自然の調和を促進し、社会全体が生産発展、生活が豊かで、生態が良好な文明発展の道を歩むよう推進される。

小康社会を全面的に建設することは経済、政治、文化の全面的な発展の目標であり、工業化と経済の社会化、市場化、情報化を加速させることでもある。各地の各部門は実際の観点から、確実かつ効果的な措置を取り、この目標を実現するよう努力し、条件の良い地域ではより速い発展が期待できる。小康社会を全面的に建設し、次いで基本的な近代化を実現させる。

二　中共十六大以来、中共中央の小康社会建設に対する配置と推進

中共十六大以来、胡錦濤を総書記とする中共中央は小康社会の全面的建設という戦略的目標をしっかりと掴んで仕事を進めてきた。

㈠　社会主義市場経済体制を充実させ、小康社会を全面的に建設する為、活力に満ちたより開放的な経済システムを生み出す

二〇〇三年十月十四日、中共第十六期中央委員会第三回全体会議（三中全会）は「社会主義市場経済体制整備の若干の問題に関する中共中央の決定」を採択した。その「決定」とは、経済のグローバル化と科学技術の進歩が加速する国際環境に適応するため、小康社会を全面的に建設する新しい情勢に適応させ、改革を加速し、生産力をさらに解放し発展させ、経済と社会の全面的な進歩に強大な動力を注ぎ込む必要があるといったものだった。

「決定」は新しい情勢、新しい任務に基づいて、各方面の改革を一層推進する重要な措置を提起した。理論と実践において、それぞれ多くの重大な突破と革新があった。

⑴ まず、公有制と市場経済を結びつける有効な形式の思想が示された。「決定」は、経済市場化の継続的な発展の勢いに適応し、公有制経済の活力を一層強め、国有資本、集団資本と非公有資本などの株式を混合した所有制経済を強力に発展させ、投資主体の多元化を実現し、株式を公有制の主要な実現形態にすると指摘している。実際に、一九九二年に中共十四大が社会主義市場経済体制の構築を打ち出して以来、公有制度の実現形式については、ずっと模索してきていた。一九九三年の中共第十四期中央委員会第三回全体会議（三中全会）から、「財産権の流動と再編に伴い、財産がすべての経済単位と混合することが多くなり、新たな財産所有構造が形成される」との提案があり、一九九七年の中共十五大までには「株式制は現代企業の一種の資本組織形態である。資本主義も使えるが、社会主義も使える」と提案されるようになった。一九九九年の中共第十五期中央委員会第四回全体会議から、「国有大中型企業、特に優位企業は株式制を実行するのに適しており、上場、中外合資と企業の相互株式参加などの形式を規範化することによって、株式制企業に変え、すべての制経済を発展させる」と提案されるようになった。「極めて少数の国家の単独資本で経営しなければならない企業を除き、株式制を積極的に推進し、すべての制度を混合させた経済を発展させる」という公有制度の実現形態に対する認識が深まりつつある。

⑵ 非公有制経済を強力に発展させ、積極的に誘導する。非公有制経済の急速かつ健全な発展

を引き続き促進するため、「決定」は非公有制経済の発展を奨励・支持する方針政策をさらに強調し、明確にした。市場参入を緩和し、非公有資本でまだ法律法規の領域にないインフラ、公共事業及びその他の業界と分野に参入できるようにする。非公有制企業は投資融資、税金、土地使用、対外貿易などの面で、他の企業と同等の待遇を受ける。

(3) 帰属、権利と責任が明確かつ、保護が厳格で、流れがスムーズな現代財産権制度を確立する。現代財産権制度を確立し、健全化することは、基本経済制度の内在的な要求を改善することであり、現代企業制度を構築するうえで重要な基礎となる。

(二) 社会主義の民主と法制の建設を推し進め、小康社会の全面建設のために政治的支持を行う

(1) 社会主義の民主政治を発展させる能力を絶えず高める。二〇〇四年九月十九日、中共第十六期中央委員会第四回全体会議（四中全会）で「党の執政能力建設の強化に関する中共中央の決定」が採択された。中共の執政能力の強化に力を入れることは、中共が人民を率いて小康社会を全面的に建設することであり、三つの歴史的任務を実現するための必然的な要求でもある。中共は社会主義民主政治を発展させる能力を絶えず高めなければならない。これは社会主義民主の制度化、規範化と手順化を推し進め、人民が主体となることを保証することを意味する。法により国を治める方略を貫き、法に基づいた行政の水準を高める。政策決定メカニズムを改革し、政策決定科学の権力運営に対する制約と監督を推し進め、人民に与えられた権力を人民の利益のために用いることを保証する。中共が全体を統括し、各方面の原則を調整し、中共の指導方式を改

革、改善する。

⑵ 法に基づく行政を推進し、法治政府を建設する。二〇〇三年八月二十七日、第十期全国人民代表大会（全人代）常務委員会第四回会議では「中華人民共和国行政許可法」が採択され、二〇〇四年七月一日から施行された。「中華人民共和国行政許可法」の主な特徴は、行政審査の手続きを簡素化し、不必要な制限を撤廃し、行政機関が社会、経済事務の管理をさらに規範化と法制化の軌道に乗せることである。また、行政許可の範囲を明確に規定し、権限を設定することは、地方保護主義と部門保護主義を打ち破り、社会主義統一市場の建設と発展を促進することに役立つ。そして、公開、公平、公正な行政許可手続きを確立し、行政許可の実施過程における「暗箱操作」と権銭取引を根絶し、根本的な制度上から腐敗を管理し、未然に防ぐ。更に、経済のグローバル化と世界貿易機構に加入する新たな情勢に適応し、行政審査認可制度を充実させ、規範的な行為、協調的な運行、透明的な構成、廉潔で効率的な行政管理体制を確立するために、対外開放をさらに拡大し、社会主義市場経済体制の構築と完備を促進し、有力な法律保障を提供した。二〇〇四年一月六日、国務院は全国行政許可法実施業務会議を開催し、ここで温家宝総理は重要演説を発表し、この法律の実施について明確的な要求事項を提出した。

二〇〇四年三月十六日、温家宝総理は国務院常務会議を主催し、「法に基づく行政の全面的推進のための実施要綱（草案）」を採択した。三月二十二日、「法に基づく行政の全面的推進のための実施要綱」と「『法に基づく行政の全面的推進のための実施要綱』の実施に関する国務院弁公庁の意見」を同時に配布した。「法に基づく行政の全面的推進のための実施要綱の配布に関する国務院の通知」では、「法に基づく行政の全面的推進のための実施要綱」の制定と実施について、小康社会を全面的に建設する新しい情勢と法に基づいて国を治めるプロセスに適応することを目的としている。「要綱」では初めて「法に基づいた行政を全面的に推進し、約十年におよぶ努力を経て、法治政府の建設目標を基本的に実現する」と記された。これは後の十年間における、法に基づいた行政を全面的に推進する指導思想と具体的な目標、基本原則と要求、主要な職務と措置が明確にされた法治政府を建設する綱領的文書であった。

⑶ 二〇〇四年三月十四日、第十期全国人民代表大会（全人代）第二回会議では「中華人民共和国憲法改正案」が採択された。「改正案」の第二十四条には、「憲法第三十三条に第三項として『国家は人権を尊重・保障する』を追加する」と規定されており、「人権入憲（人権保障が憲法に盛り込まれる）」は社会主義民主の要求を体現している。同時に、「改正案」は「公民の合法的な私有財産は侵犯されない」という内容が追加された。

⑷ 人民代表大会制度の整備を強化し、中国の政治生活における役割を十分に発揮させ、中共指導の多党協力と政治協商制度の整備を強化し、社会主義政治文明を構築する。

二〇〇五年五月、中共中央は「全人代代表の役割を一層発揮し、全人代常務委員会制度の建設を強化することに関する中共全人代常務委員会党組の若干の意見」といった内容を転送した。この「意見」では、第一に、代表の知る権利を保障し、代表審議議案、報告の水準と効能を高める。

代表議案の処理を改善し、議案の提出と処理の質を高める。そして制度を充実させ、代表の提案、批判と意見の提出と処理の質を高める。第二に、全国人民代表大会常務委員会の制度整備を強化し、専門委員会の業務制度を規範化する。また会議制度を改善する陳情活動制度を健全化し全国人民代表大会に代表されるシステム研修制度を構築する、といったことが強調された。

二〇〇五年二月、中共中央は「中国共産党の指導する多党協力と政治協商制度の建設を一段と強化することに関する中共中央の意見」を発表した。この「意見」では多くの重要な思想が提起された。中共の指導する多党協力と政治協商制度は中国の特色を持った社会主義政党制度であり、人民民主独裁の社会主義国家の国体に適応した政党制度であった。まず第一に中共と民主党派の政治的協商を充実させ、これは民主協商会、小範囲懇談会、座談会などの形式で行われる。第二に、人民政治協商会議の政治協商の制度化、規範化、プログラム化を推進する。第三に、民主諸党派の国家政権、すなわち民主諸党派が国家の大政方針と指導者の人選、国家事務の管理、国家の方針政策、法律法規の制定と執行などに参与する。第四に、民主諸党派の調査研究制度を健全化を行う。そして第五に、民主諸党派の民主的監督の役割を発揮させる。

㈢　思想道徳文化の建設を強化し、小康社会を全面的に建設するために精神的支持を行う

⑴　二〇〇四年四月より、中共中央はマルクス主義理論研究と建設プロジェクトを実施開始した。中央マルクス主義理論研究と建設プロジェクトは中国化マルクス主義の研究を推進する上で著しい進展があった。二〇〇四年四月二十七日、胡錦濤国家主席は人民大会堂にて、マルクス主

義理論の研究・建設プロジェクト会議に出席した代表全員と会見し、思想理論の建設が中共建設の根本であると強調した。マルクス主義政党は、科学的理論を指導にしてこそ、正しい路線方針政策を制定することができ、中共と中国人民が崇高な理想と目標のために奮闘することができる。中共中央はマルクス主義理論の研究・建設プロジェクトを実施することを決定した。これは中共と中国の事業発展に関わる戦略的任務であり、また中共中央が中共の理論建設を強化する上でも非常に重要な措置であり、意義が深く、任務は重いものである。

(2) 未成年者と大学生の思想道徳建設を強化する。二〇〇四年二月二十六日、中共中央・国務院は「未成年者の思想・道徳建設のさらなる強化と改善に関する若干の意見」を発表した。そして二〇〇四年八月二十六日、中共中央・国務院は「大学生の思想・政治教育のさらなる強化と改善に関する意見」を発表した。この「意見」では、大学生の思想・政治教育を強化・改善し、彼らの思想・政治素質を高め、中国の特色ある社会主義事業の建設者と後継者を育成し、科教興国(科学技術と教育によって国を興す)」戦略と「人材強国」戦略を全面的に実施することについて、中国が激烈な国際競争の中でいつまでも不敗の地に立ち続けることを確保し、小康社会の全面的な構築、社会主義の現代化を推し進めるという壮大な目標の実現を加速させ、中国の特色ある社会主義事業の繁栄と発展が促された。後継者を確保することは、重大かつ深遠な戦略的意義を持つ。

(3) 社会主義の栄辱観を打ち立てる。胡錦濤総書記は二〇〇六年三月、「広範な幹部大衆、特に青少年は『八栄八恥』を主な内容とする社会主義の栄辱観を樹立するべきだ」と述べた。国を愛することは名誉であり、国を害することは恥辱である。民に尽くすことは名誉であり、民を見放すことは恥辱である。科学を敬うことは名誉であり、無知愚昧なことは恥辱である。重労働することは名誉であり、楽ばかりするのは恥辱である。相助団結するのは名誉であり、己だけ得するのは恥辱である。誠実にすることは名誉であり、義理を忘れるのは恥辱である。道徳紀律を守るは名誉であり、不法乱紀するのは恥辱である。刻苦奮闘するのは名誉であり、傲奢淫楽するのは恥辱である。この「八栄八恥」を主な内容とする社会主義の栄辱観の提起は、中共の社会主義に対する認識の新たな成果であり、重要な意義をもった。こうした社会主義の栄辱観は科学的発展観の社会価値倫理上の科学的な反映でもある。社会主義の栄辱観は社会主義の道徳規範の本質的な要求を体現しているだけでなく、社会主義価値倫理の基本的な要求も体現している。

(4) 社会主義の核心的価値体系を構築し、全民族の向上的な精神力と団結と和睦といった絆を形成する。二〇〇六年十月十一日、中共第十六期中央委員会第六回全体会議（六中全会）で可決された「社会主義調和社会の構築における若干の重大な問題に関する中共中央の決定」は、「マルクス主義の指導思想、中国の特色ある社会主義の共通の理想、愛国主義を核心とする民族精神と改革革新を核心とする時代精神、社会主義の栄辱観は、社会主義の中核的価値体系を構成する。社会主義の核心的価値体系を国民教育と精神文明建設の全過程、現代化建設の各方面に溶け込ませねばならない」と指摘した。

三　五年間にわたる小康社会建設の全体的な進展と具体的な業績

中共十六大以来の五年間は、中国の改革開放と全面的な小康社会の建設が大きな進展を遂げた五年間であり、社会生産力と総合的な国力が著しく増強された五年間でもあった。また、社会事業の全面的な発展と人民がより多くの利益を得た五年間であり、中国の国際的地位と影響が絶えず高まった五年間でもあった。

㈠　全体的な進展の評価

二〇〇七年十一月二十一日、中国国家統計局は二〇〇六年度中国小康社会建設プロセス統計観測報告を発表した。二〇〇六年段階で中国の小康社会の構築率は六九・〇五％に達した。これは二〇〇五年より三・二八％の上昇であり、二〇〇〇年以来最速の年であった。小康社会の全面構築は著しく加速している。小康社会を全面的に構築する統計観測指標システムの推計によると、二〇〇〇年の小康社会の構築率は五七・〇五％（基本的な小康社会の実現率であり、全体的な小康社会指数は六〇％であった）を指し、二〇二〇年までに小康社会の全面建設を完全に実現するといった目標まではまだ四二・九五％の差があり、平均して毎年二・一五％増加させる必要があった。二〇〇〇年から二〇〇六年までの全面的な小康社会構築の過程から見ると、年々増加傾向にあり、平均的に毎年二・〇％ほど増加しており、この発展ぶりだと、二〇二〇年までには小康社会の全面建設の奮闘目標を完全に実現することができるとみられる。

㈡　具体的な成果

⑴　経済が新たな階段を上がる。二〇〇七年、中国の国内総生産（GDP）は二四・六六兆元に達し、これは実に二〇〇二年より六五・五％伸びており、年平均では一〇・六％伸び、世界第六位から第四位に上昇した。全国の財政収入は五・一三兆元に達し、一・七一倍伸びた。外貨準備高は一・五二兆ドルを超える。農業税を廃止し、農民の種田税の歴史を終焉させ、全国の食糧は四年連続で増産し、二〇〇七年の生産量は五億一五〇万トンまで達した。農業税、牧畜業税と特産税を一律で取りやめた、毎年の農民の負担を軽減した。農業補助金制度を確立し、農民に対する食糧直補、優良種補助金、農機具購入補助金と農業生産資料総合補助金を実施し、食糧生産県と財政困難県郷に対して奨励補助を実施した。農業農村への投資を大幅に増加し、中央財政が「三農」に使う支出は五年間で累計一・六兆元で、その中で農村のインフラ建設に使われるのは三〇〇〇億元近くである。国有企業、金融、財政税、対外経済貿易体制と行政管理体制などの改革は大きな一歩を踏み出した。開放型経済は新たな段階に突入した。二〇〇七年の輸出入総額は二・一七兆ドルに達し、世界第六位から第三位に上昇し、人民の生活は著しく改善された。二〇〇五年に全国で五一〇〇万人の都市就業が新たに増加した。都市住民一人当たりの可処分所得は二〇〇二年に七七〇三元から二〇〇七年には一万三七八六元に増加し、農村住民一人当たりの純収入は二四七六元から四一四〇元に増加した。社会保障体制の枠組みが初歩的に形成され、貧困人口は年々減少している。

(2) 民主・法制建設の実績も著しい。ここ五年で、国務院は全国人民代表大会常務委員会に三十九件の法律案を提出し、一三七件の行政法規を制定、改訂した。大衆が秩序よく政府の立法に参与するメカニズムと制度を模索した結果、十五の法律草案と行政法規草案が公開され意見を募った。また現行の行政法規と規則を全面的な整理を行った。法により行政活動が着実に推進され、「中華人民共和国行政許可法」は一年以内に（すなわち二〇〇五年）実施され、国務院の統一配置の下、国務院各部門、各級地方政府は行政許可項目、根拠、実施主体に対して全面的に整理された。行政許可の根拠について二万五五五四件を整理し、三九八一件を廃止し、二四九三件を修正した。行政許可の実施主体について二三八九の主体を整理、そのうち一九三二の主体を保留し、三〇二の主体を取りやめ、七十一の主体が調整された。末端の民主建設は効果的である。二〇〇七年までに、中国の農村ではすでに六十二万の村民委員会が創立され、村民委員会選挙の全国平均参加率は九〇％以上であった。「中華人民共和国村民委員会組織法」は一九九八年十一月四日に正式に施行された後、中国の三十一の省で村民委員会組織法の実施方法が次々と制定され、村民委員会の選挙と運営手順などを更に明確化した。また村民委員会の選挙を厳格に法律に基づいて行うために、二十七の省が専門の村民委員会の選挙方法を制定した。二〇〇七年末までに、中国の九六％の農村はすでに民主的な政策決定を実施する村民会議あるいは村民代表会議制度を確立している。そして八〇％以上の村が村民自治規程または村民規約を制定した。九一％の農村は民主資産管理、財務監査、村務管理などの制度を確立している。

(3) 文化建設も深く発展した。中国全国の財政において文化・スポーツに使われる支出は五年間で累計三一〇四億元で、前の五年より一・三倍増加した計算となる。県郷の二級公共文化サービス体制が初歩的に形成され、県に図書館、文化館があることがほぼ実現された。文化体制改革は重要な進展を遂げ、文化産業の規模は絶えず拡大しているのだ。二〇〇六年、中国全国文化産業は五一二三億元の増価を実現し、国内総生産（GDP）に占める比率は二・四五％に達し、中国文化の世界における影響力はさらに増した。二〇〇七年までに、中国はすでに世界五十二の国家と地区に一四〇の孔子学院を創立し、全国文化情報資源共有プロジェクト、放送テレビ村通プロジェクトなどの基層文化施設の建設が強化された。また哲学社会科学と新聞出版、ラジオ・テレビ放送、文学芸術がさらに繁栄し、文化財と非物質文化遺産の保護も強化された。本の出版は一九七八年の一・四五万種から二〇〇六年の二三・三九万種まで発展し、新聞は一九七八年の一八六種類から二〇〇六年の一九三五種類に増加した。二〇〇七年十二月末までに、中国のテレビ放送は世界で最も規模が大きく、人口が最も多い電子メディアとなった。またインターネットも急速に発展し、中国全国にはすでに二・一億のネット利用者がいて、これは実に世界一の人数である。そして携帯電話の利用者は四・八七億人で、これもまた世界一である。改革開放初期に外国人に「大都市の夜は田舎のようだ」と比喩された「静かな中国」は、生き生きとした文化に満ちた中国へと変貌を遂げたのだ。

(4) 社会建設も絶えず推し進められている。教育の面で全国の財政が教育支出に用いられる五年間の累計は二・四三兆元で、前五年より一・二六倍伸びた。また農村地域の義務教育はすでに全面的に財政保障の範囲に組み入れられており、中国全国の農村義務教育段階の学生の学費は全免除され、その他の経費も全部無料で提供される。経済的に困難な家庭に対し生活補助を提供し、一・五億人の学生と七八〇万世帯の貧困問題を援助した。西部地区では九年間の義務教育が普及し、青壮年文盲攻略計画が期限通りに完成された。また国家が特別資金を手配して二・二万余りの農村小中学校を支援し、七千余りの寄宿制学校を建設し、遠隔教育は三十六万カ所の農村小中学校をカバーし、より多くの農村学生が良質な教育資源を享受できる環境を整えた。衛生面では、中国全国の財政が医療衛生支出に用いられる五年の累計は六千二百九十四億元で、前五年より一・二七倍伸びた。公共衛生、医療サービスと医療保障体制の整備を重点的に強化し、都市と農村をカバーした、疾病予防管理および応急医療救治体制を整備した。中国国家計画の免疫予防の病気は七種類から十五種類に拡大され、エイズ、結核、住血吸虫病などの重大な伝染病患者に対しては無料で治療を行う。国家は資金の改造と一・八八万の郷鎮衛生院、七百八十六の県病院、二百八十五の県中医院と五百三十四の県の婦女子児童保健院を新築し、一・一七万の郷鎮衛生院に医療設備を配備し、農村医療衛生条件は大幅に改善された。社会保障の面では、中国全国の財政が社会保障のために使う支出は五年で累計一・九五兆元で、これも前五年より一・四一倍の増加である。都市の従業員基本養老保険制度が改善され、二〇〇七年の保険加入者数は二億人を突破し、二〇〇二年より五千四百万人以上増加した。基本養老保険用の個人口座制度を着実に実施し、試験的に十一の省で拡大した。また、二〇〇五年から三年連続で企業退職者基本年金基準を引き上げ、中央財政の五年間累計補助年金特別資金は三千二百九十五億元であった。二〇〇七年の都市部従業員基本医療保険加入者数は一・八億人に達し、二〇〇二年に比べて倍近く増加した。そして八十八の都市は都市住民基本医療保険の試行を開始した。新型農村協同医療制度は改善され、全国の八六％の県に拡大され、この制度に参加した農民は七・三億人に達した。全国社会保障基金は四一四〇億元を蓄積し、二〇〇二年より二八九八億元の増加を見せた。都市と農村の社会救済システムも確立されており、都市住民の最低生活保障制度が改善され、保障基準と補助水準も向上し続けている。二〇〇七年の中国全国の農村地区にて最低生活保障制度を確立し、三四五一・九万の農民が保障範囲に組み入れられた。五年の間で節水タンク面積が六六六・七万ヘクタール追加され、メタンガスの使用者が一六五〇万戸増加し、新たに舗装された農村道路の総面積は一三〇万キロメートルとなり、九七四八万人もの農村人口の飲用水の困難と安全問題を解決した。

四　胡錦濤が小康社会建設の笛を鳴らす

㈠　中共十七大報告で提起された小康社会全面建設といった奮闘目標を実現するための新たな要求

具体的には、発展の協調性を強化し、経済の良好かつ急速な成長を実現するよう努力することが含まれた。成長方式を転換することで大きな進展を遂げ、構造を最適化し、効果と利益を向上させ、消費を低減し、環境を保護する上で、一人当たりの国内総生産（ＧＤＰ）を二〇二〇年までに二〇〇〇年より二倍にする。社会主義民主、公民政治を秩序よく拡大し、法により国を治める基本的な方策が深く実行され、全社会法制観念もさらに強化し、法治政府の建設が新たな成果を収めることで人民の権益と社会公平をよりよく保障する。文化の構築を強化し、全民族の文化レベルを高め、社会主義の核心価値感が人々の心に深く入り込み、全社会をカバーする公共文化サービス体制が確立され、文化産業が国民経済の比重を占める割合が高まり、国際競争力が著しく増強され、国民の必要に応じた文化製品がより豊富になる。社会事業の発展を速め、人民の生活を全面的に改善し、都市と農村の両住民をカバーする社会保障システムを確立することで、人々は基本的な生活保障を有し、合理的に秩序化した収入分配構造が形成され、中所得者が多数を占め、貧困現象が無くなり、すべての人々が基本医療衛生サービスを受けられるようになる。また生態の文明を構築し、省エネ資源と生態環境を保護する産業構造、成長方式、消費パターンを形成する。

また、中共十七大報告の中には、以下のような説明がある。

「二〇二〇年までに小康社会全面建設の目標が実現された時、我々文明古国、ならびに発展中の社会主義大国は、工業化の基本的な実現、総合国力が著しく増強され、国内市場全体の規模が世界の前列に位置する国となる。国民の豊かさのために向上し、生活の質が著しく改善され、生態環境が良好な国となる。人民はより完全な民主的権利を有し、より高い文明的素質と精神的追求を持つようになる。各方面の制度が完備され、社会がより活力に満ち、安定団結した国になり、より開放的で、より親和力があり、人類文明により大きな貢献をする国になる」

(二)　中共十八大報告はさらに小康社会の建設に対する認識を推進し、重要な論断を下した

中共十八大報告書によると、中国の経済・社会発展の実際に基づいて、中共十六大、十七大で確立された小康社会の全面的建設の目標を基礎とし、新たな要求を実現するよう努力するとなっている。(1)経済発展の方式を転換して大きな進展を遂げ、発展のバランス、協調性、持続性が強化された上で、国内総生産（GDP）と都市農村住民の平均収入は二〇一〇年に比べて倍増した。(2)人民の民主は拡大している。民主制度はさらに完備され、民主形式はより豊かになった。法により国を治める基本的な方略が全面的に実行され、法治政府の建設、司法公信力の向上、人権の確実な尊重、保障がなされた。(3)文化のソフトパワーも著しく強化された。社会主義の中核的価値体系は深く心にしみ、文化産業は国民経済の支柱的産業となり、社会主義文化強国建設の基礎はより強固なものとなった。(4)人民の生活水準が全面的に向上した。基本的な公共サービスの均等化が全体的に実現され、国民全体の教育水準と革新的な人材育成水準が著しく向上し、就業がより容易になり、収入分配の格差が縮小され、社会保障が全国民行き届くようになった。(5)資源節約型、環境にやさしい社会建設も大きな進展を遂げた。

五　習近平が小康社会の全面的な建設といった偉業を成し遂げる

㈠　豊富な理論要求

中共十八大以来、習近平を総書記とする中共中央指導部は小康社会を全面的に構築することについて以下のように多くの新たな論述を行った。第一に、小康社会を全面的に建設することは「中国の夢」を実現する内在的な要求である。「中国の夢」は中国人民と中華民族の価値意識と価値追求であり、具体的には小康社会を全面的に建設し、中華民族の偉大な復興を実現することを意味する。第二に、小康社会を構築するにあたり、農村の存在を忘れてはいけない。「小康」かどうかといった点において肝心なのは老郷の生活条件である。二〇一五年二月十三日、習近平は陝西甘寧革命老区の貧困から脱却して富をつくる座談会を主催し、「一つ目の『百年目の奮闘目標』の実現、および全面的な小康社会を構築するにあたり、特に老年地区の全面的な小康がなくては、貧困から脱却して富を成すというのは不完全だ。これはまさしく私がよく言っている小康か否かを判断するのに肝心なのは老郷（同郷の人）の生活条件だということだ」と指摘した。小康社会を全面的に建設することは各民族共通の事業である。二〇一五年一月十九日から二十一日まで、習近平は貢山トールン族（独龍族）ヌー族（怒族）自治県の幹部大衆代表と会見時に「トールン族とその他少数民族は特に変化が大きく、中国の特色ある社会主義制度の優越性を証明している。前の任務はまだ厳しいですが、私たちは引き続き中国の制度の優越性を発揮し、仕事をしっかりと行い、仕事をうまくやり続けることで、全面的な小康を全民族にもたらす」と述べた。第四に、人民の体の健康は全面的な小康社会を作り上げるうえで非常重要であり、一人一人の成長と幸せな生活を実現する重要な基礎でもある。

二〇一五年十月二十六日から二十九日まで開催された中共第十八期中央委員会第五回全体会議（五中全会）ではさらに小康社会の全面的な建設の新たな目標が発表された。「国民経済と社会発展の第十三次五カ年計画の策定に関する中共中央の提言」は、今後五年間、小康社会の全面的な建設に関する目標を定めた上で、以下の新たな目標を達成するために努力するべきだと指摘している。

――経済は高度成長を維持している。発展のバランス、包容性、持続性を向上させた上で、二〇二〇年の国内総生産と都市部住民の平均収入は二〇一〇年より倍増した。主要経済指標のバランスがとれており、発展空間の構造が最適化され、投資効率と企業効率が著しく上昇し、工業化と情報化の融合発展水準がさらに高まり、産業は中高級レベルに踏み出し、先進的な製造業は発展を加速し、新産業の新業態は絶えず成長し、サービス業の比重がさらに上昇し、消費は経済成長に大きく貢献している。戸籍人口の都市化率も急速に向上し、農業の近代化も著しい進展を遂げ、中国は革新的な人材強国の仲間入りを果たした。

――人民の生活水準と質は向上している。就業条件は十分整い、就業、教育、文化、社会保障、医療、住宅などの公共サービス体制はより健全で、基本的な公共サービスの均等化レベルも着実に向上している。教育の現代化は大幅に進歩し、労働年齢人口は義務教育の年数を設けることで確実に増加した。所得格差が縮小し、中所得人口の比重が上昇した。中国の現在の基準から見ると、農村の貧困人口は貧困から脱却することに成功し、地域全体の貧困が解決された。

——国民の素質と社会文明のレベルは大幅に向上した。中国の夢と社会主義の核心的価値観は更に人々の心に深く入り込み、愛国主義、集団主義思想が広く発揚され、向上心、誠実と信用、助け合いに満ちた社会の雰囲気は更に濃いものとなる。人民の思想道徳、科学文化、および健康の質は向上し、全社会の法治意識が強まる。公共文化のサービス体制もほぼ完備し、文化産業は国民経済の柱となる産業となり、中華文化の影響は拡大し続ける。

——生態環境の質は全体的に改善された。生産方式および生活方式はグリーンなものに、低炭素レベルは上昇を見せる。エネルギー資源の開発利用効率が大幅に向上し、エネルギーと水資源の消費、建設用地、炭素排出総量が効果的に抑制され、主要汚染物質排出総量が大幅に減少した。主体機能エリアのレイアウトと生態安全バリアも形成されている。

——各方面の制度が成熟し、定型化される。国家のガバナンスシステム（統治体系）とガバナンス能力（統治能力）の現代化は大きな進展を遂げ、各分野の基礎制度体制が形成された。人民の民主がより健全になり、法治政府がほぼ完成し、司法の公信力が大きく向上した。人権は確実に保障され、財産権は有効に保護される。開放型経済新体制も形成されている。また、中国の特色ある現代的な軍事体制も完備され、中共建設の制度化の水準は著しく向上した。

二〇一七年十月に開催された中共十九大では、今から二〇二〇年までこそが、小康社会の全面的な建設の勝負時であると指摘された。中共十七大、十八大にて発案された小康社会構築に関する各要求に基づき、中国の社会の主要な矛盾と変化を抑制し、経済、政治、文化、社会、生態文明の建設を計画的に推進し、科学教育興国戦略、人材強国戦略、革新駆動発展戦略、農村振興戦略、地域協調発展戦略、持続可能な発展戦略、軍民の融合発展戦略を同時進行する。重点を押さえ、短所を補い、長短所を重点的に把握し、中でも特に貧困脱却、汚染防止対策といった重大なリスクの解決を徹底して行い、全面的な小康社会を作り上げて人民の認可を得られる、歴史的な飛躍を見せなくてはならない。

(二)　全面的に小康社会を構築し、歴史的な成果を収める

これは中共創立一〇〇周年の時に、十数億の人口に恵まれた、より高いレベルの小康社会を全面的に作り上げ、新世紀に入った後に、基本的な小康社会を構築するといった基礎の上で提出する奮闘目標で、中国人民に対する厳かな承諾でもある。改革開放の初めに中共中央が小康社会の戦略構想を提出してから、中共は国民の美しい生活に対するあこがれを奮闘目標として、何世代もの人々がこれを貫き、奮闘を続けてきた。

「十三五」（第十三次五カ年計画）期間は全面的に小康社会を作り上げて勝負する段階である。二〇一六年から二〇二〇年までの五年間で、複雑な国際情勢、困難で重い国内改革発展の安定任務、特に新型コロナウィルスの発生といった深刻な衝撃に直面し、習近平を核心とする中共中央

は中共と中国の各民族人民を率いて前進し、開拓と革新を励まし、要点を掴み、欠点を補いながら、全力を尽くした。こうしたリスクの解決、貧困からの脱却、汚染防止対策といった「三つの攻堅戦」を精確に行い、中共と中国の各事業を推進するために奮闘した。こうした努力を経て、全面的な改革を深化させ、全面的に法に基づいて国を治めるといった面でも大進展し、党を厳格に治めることから重大な成果を収めた。また、国家のガバナンスシステム（統治体系）とガバナンス能力（統治能力）の現代化を推し進め、中国の社会主義制度の優位性をさらに際立たせた。経済、科学技術の実力をはじめとした総合国力は新たに大きな一歩を踏み出し、経済の運行は全体的に安定している。経済構造は持続的に最適化されており、二〇二〇年の国内総生産は百兆元を突破した。貧困脱却の成果は世界中からも注目されており、五千五百七十五万人の農村貧困人口が貧困から脱却できたという計算になる。食糧の年間生産量は五年連続で一・三兆斤以上で安定している。汚染防止に力を入れ、生態環境が大幅に改善された。国際開放も持続的に拡大し、共に「一帯一路」を建設して豊かな成果を出した。中国国民の生活水準も飛躍的に向上し、高等教育が普及化の段階に入り、都市部の新規就業は六千万人を超え、世界最大規模の社会保障システムを構築し、基本医療保険の加入者は十三億人を超え、基本養老保険は十億人近くをカバーし、新型コロナウィルスの蔓延防止においても重大な戦略成果を収めた。文化事業と文化産業の繁栄と発展、ならびに国防と軍隊も大幅に向上し、中でも軍隊の組織形態は重大な変革を実現した。国家の安全は全面的に強化され、社会は調和と安定を保つ。

全面的な小康社会を構築することは、中華民族の遥か昔からの願いである。中華民族は偉大な夢想精神を持つ民族で、安定した豊かな小康社会を作ることはは中華民族の数千年待ちわびていた夢だと言える。しかし、立ち遅れた農耕文明の時代や、貧しさを積み上げた近代において、「小康」は庶民にとって、遥か遠い望みでしかなかった。この夢はやはり中共の指導のもとでしか現実になることはないだろう。中共は成立の日から、中国人民の幸福をかけ、民族の復興を図るという大旗をしっかりと担ぎ、世代を超えて奮闘してきた。特に中共十八大以来、習近平を中心とする中共中央は中国人民を率いて力を尽くし、小康社会を全面的に構築するという決定的な成果を収め、スローガンを予定どおり実現した。これを機に、中国の発展と中国人民の生活水準は新たなステップに上がりることができた。中共が中国人民との約束をきちんと果たし、中華民族の千年の願いが現実になった。二〇一二年十二月、習近平総書記は河北省保定市阜平県の貧困扶助開発活動を視察した際に、「農村、特に貧困地域での小康が実現されないと、小康社会を全面的に構成しているとは言えない」と指摘し、二〇一三年十一月、湖南十八洞村視察の際には「正確に貧困を扶助する」という概念を発案し、貧困扶助には事実に基づいた適切な対処をすべきといった点を強調した。そして二〇一五年十一月二十九日、中共中央、国務院は「貧困脱却作戦に関する決定」を発表した。二〇一七年十月、中共十九大報告では中共と中国人民に「貧困脱却戦に関する決定」を出した。また二〇一八年六月、中共中央・国務院は「貧困から脱却し、三年間の行動に関する指導意見」を制定し、二〇一九年三月、習近平総書記は中国全国両会（全国人民代表大会と全国政治協商会議）で中国全国に「鋭気を尽くして出戦し、難局に立ち向かう」と呼びかけ、貧困から脱却するための戦いの号砲を鳴らした。そして二〇一九年十月、中共第十九期中央委員会第四回全体会議（四中全会）は「貧困から脱却する為の長期的な解決メカニズムを確立する」と発表した。

小康社会を全面的に建設することは、中華民族の偉大な復興のための重要な一歩である。中華民族の偉大な復興を実現することは、近代以来の中華民族の最大の夢であり、中共が常に背負ってきた歴史的使命である。「小康の夢」は「中国の夢」の段階的な目標で、全面的な小康の実現がなければ、中華民族の復興は語れない。予定通りに小康社会を築くということは、第一の百年奮闘目標が円満に完成することを示している。そして第二の百年奮闘目標を実現するために堅固な基礎を打ち立てている。これらの奮闘目標は中華民族の発展史において重要なマイルストーンの役割を果たす。

全面的な小康社会を築くことは人類社会に対する偉大な貢献である。小康社会を築き、絶対貧困問題を解決することで、中国人民はより豊かな生活を送るようになり、人類社会全体の発展水準を大いに向上させた。社会主義の中国はより雄大な姿で世界の東方にそびえ立っている。国際通貨基金（ＩＭＦ）の統計によると、二〇一九年には七十の国あるいは地域で一人当たりの国内総生産（ＧＤＰ）が一万ドルを超えており、その人数は中国の十四億人余りの人口を含み約二十九億人であった。中国は全面的に小康社会を作り、世界における一人当たりの国内総生産（Ｇ

ＤＰ）が一万ドルを超える人口が倍増した。これにより、中国の特色のある社会主義制度の強大な生命力と優越性を十分に示し、中国の国際的地位を著しく高め、広範な発展途上国の貧困問題を解決した。現代化の実現には、中国の知恵が大いに貢献したと言えるだろう。

第二章　小康社会へ向けた着実な貧困脱却と堅固な目標の達成

中国にとっても、世界にとっても、二〇二〇年はきわめて非凡な年になる運命が定められていた。中共の奮闘目標から見ると、これは一つ目の「百年奮闘目標」を達成する節目であり、二つ目の「百年奮闘目標」に向かうための節目でもある。同時に、中国は新型コロナウィルスの蔓延にも直面した。これは新中国成立以来、中国で発生した感染速度が最も速く、感染範囲が最も広く、予防・制御が最も困難な重大な突発公共衛生事件である。無論、中国国内に限らず新型コロナウィルスはすでに全世界のほとんどの国で蔓延しており、現段階で、全世界の新型コロナウィルスの診断症例はすでに一億例を超えている。こうした状況は中国の経済・社会発展に大きな挑戦をもたらし、二〇二〇年第1四半期の中国のGDPは同六・八％下落した。この複雑な状況を前にして、二〇二〇年の貧困脱却の任務がうまくいくのかという疑問が出てくるだろう。小康社会を全面的に構築する目標はまだ期限どおりに実現できるのか？一つ目の「百年奮闘目標」は延期されるのか？

二〇二〇年三月六日、習近平総書記は貧困脱却堅塁戦の決戦・決勝座談会での演説で、人々の疑問にきっぱりと答えた。彼は新型コロナウィルス発生状況の影響を克服し、貧困から脱却するために全力を尽くして戦い、期限通りに貧困から脱却する目標任務を達成することを確保し、それと同時に小康社会の全面的な構築を確保すると答えたのだ。彼は「これは中共十八大以来の貧困脱却と堅塁攻略をテーマとした最大規模の会議であり、目的は全党・全国・全社会の力を動員し、より大きな決心とより強い力で貧困から脱却し、最後の勝利を確保することだ」と指摘した。習近平総書記の演説は、マルクス主義弁証法の重要文献を通して、貧困から脱却する戦いで直面する困難な挑戦を客観的に分析しただけでなく、貧困脱却の堅塁攻略に打ち勝ち、一つ目の「百年奮闘目標」を実現するために、中共と中国人民に無限の自信とエネルギーを与えた。

一　中共中央の精神と習近平総書記の重要な論述を深く理解する

「二〇二〇年までに現在の基準における農村の貧困人口はすべて貧困から脱却するというスローガンは、中共中央が中国人民に厳約束したもので、期限通りに実現しなければならず、退路と弾力性は全くない」これは強気の呼びかけである。各省区市はいずれも軍令状(1)に署名したのと

(1)　軍令を受けた時に出す保証書で任務が達成できない場合は処罰されてもよいという決意を表明するもの。（訳者注）

同様に、承諾したことは必ず実現する。これは中共の中国人民に対する厳粛な約束であり、更には歴史に対する厳粛な承諾でもある。中共十九大報告によると、現在から二〇二〇年までは、小康社会の全面的な構築の決勝期であり、「重大なリスクの解決、正確な貧困脱却、汚染防止対策を徹底して行い、小康社会を全面的に構築し、中国人民の認可を得ながら、歴史の検証に耐えられるようにしなければならない」と明確に指摘した。貧困脱却の目標を達成することは、どうしても実現しなければならない任務なのである。何故なら中国人民が中共の答案を待っており、歴史がそれを検証しているからだ。

習近平総書記はこの問題をいつも考えていた。貧困から脱却する戦いに直面するといった困難に挑戦することの難しさには彼が最もよく知っている。二〇一五年以来、彼は貧困脱却作戦に勝利することについて七つの特別会議を開催した。それぞれの特別会議では、直面する困難な挑戦を指摘し、問題を解決するための施策を配置し、解決方法を提示した。どの会議も貧困脱却に関する作業を力強く推進してきた。

二〇一五年二月十三日、延安革命老区[1]の貧困から脱却して富をつくる座談会で、習近平は「老区の発展のペースを速め、老区の貧困扶助開発の仕事をしっかりと行い、老区の農村貧困人口をできるだけ早く貧困から脱却させ、老区の人民が全国人民とともに全面的な小康社会に入ること

(1) 老区は「老解放区」の略語で、中華人民共和国成立以前に既に解放されていた地区を指す。(訳者注)

を確保するのは、中共と政府の義務である」と提案した。ここで習近平総書記は五つの要求を出した。一つ目は、支援に力を入れ、より傾いた政策を取り、老区の発展に対する支持を強め、貧困扶助開発の財政資金の投入とプロジェクトの配置を増やし、老区の建設に社会資金を投入するよう奨励し、老区の発展を支持する強力な社会協力を形成するというものだ。二つ目は、社会事業の発展を加速させ、教育、医療衛生、公共文化、社会保障などの事業を発展させ、基本的な公共サービスを老区と農村住民全体に行き届くようにすることを実現することである。三つ目は、産業育成支援の力を強化し、国家の大型プロジェクト、重点プロジェクト、新興産業は、条件に合致する前提の下で、優先的に老区に手配するというものだ。先進地区の労働集約型産業の移転は、優先的に老区に移転しなければならない。四つ目は、改革の取り組みを積極的に実行し、自発的に改革に突破、効果と利益を求め、社会生産力を解放し、発展させ、社会の公平と正義を絶えず促進するというものだ。五つ目は、中共の統治の基礎をしっかりと固め、特に全面的かつ機能的に健全な基層党組織体制をカバーし、より良い素質と優れた役割を果たしている中共党員・幹部チームを築き、便利で効果的な拘束力の強い制度・メカニズムを築き、悪風邪気がない政治生態を築くというものだ。

二〇一五年六月十八日、貴陽で開催された一部の省区市の貧困対策と「十三五」期間の経済社会発展シンポジウムで、習近平総書記は「貧困扶助開発業務指導責任制を強化し、中央が統一計画をし、省が総責任を負い、市（地）県が実施した管理体制を重点として、村まで仕事をし、貧困を家庭まで扶助する仕事メカニズムを明確に打ち出した。後に中共・政府のトップが総括的責任を負う貧困扶助開発業務責任制は、本当に実現された。

二〇一六年七月二十日、銀川で開催された東西部貧困扶助協力座談会において、習近平総書記は、東西部の貧困扶助と対口支援（一対一の支援）は、地域の協調・協同・共同発展を推進する大戦略であると話した。地域協力を強化し、産業配置を最適化し、対外開放の新たな空間を開拓し、先に豊かになった者が後の者を助ける、といった最終的に「共同富裕」の目標を実現するための大きな取り組みは、情勢を見極め、正確に焦点を合わせ、協力を深め、実効を確保し、仕事のレベルを着実に高め、全面的に貧困から脱却し、堅塁な戦いに勝つ必要がある。習近平総書記の今回の演説は中国の長所の一つ、すなわち東西部の貧困扶助と対口支援（一対一の支援）を強調した。これに関し彼は、「世界でただ私達の党と国家のみがやり遂げることができて、十分に私達の政治の優位と制度の優位を明らかに示すことができた。東西部の貧困扶助と対口支援は長期にわたって継続しなければならない」と話した。

二〇一七年六月二十三日、太原で開催された深度貧困地区の貧困脱却に関する座談会で、習近平総書記は中国の貧困対策で得られた重大な成果と成功経験を振り返り、現在貧困脱却が直面している状況と任務を全面的に分析した。深度貧困の主な原因を追究し、貧困脱却の基本方針を明確にした。ここでは貧困から脱却して堅塁を攻略する方法論、要点、突破口と把握すべき問題が明示された。

二〇一八年二月十二日、成都で開催された正確な貧困脱却戦略座談会で、習近平総書記は、中共の貧困から脱却する作業に対する全面的な指導を強化し、それぞれの責任を負い、それぞれの職務を遂行する責任システム、正確に識別し、正確に貧困から脱却する作業システムを確立する。上下連動、統一協調を特徴とした政策体制を整える。資金を保障しながら人力資源の投入体制を強化し、各地域の都合に応じた補助体制を設け、より多くの人が参与し力を合わせて堅塁を攻略する社会動員体制、および多ルート全方位の監督体制と非常に厳格な審査評価システムを確立した。これによって、中国の特色ある貧困脱却制度体制が形成され、貧困脱却のために強力な制度保障が提供されることとなる。世界の貧困削減事業に中国の知恵、中国の案が貢献されたと言えるだろう。また、習近平は組織の指導強化、スローガンの維持、体制メカニズムの強化、正確さの把握、資金管理の充実、作風の強化、幹部輪訓（幹部を順番に訓練する）の組織、内部の生産意欲、といった八つの要求を出した。

二〇一九年四月十六日、重慶で開催された「二つの悩まないと三つの確保」[1]に関する突出した問題を解決する座談会で、習近平総書記は「中国は全体として基本的に小康社会建設の目標を実現したが、まだいくつかの弱点があり、最大の弱点は貧困解消の攻略である」と強調した。今こ

（1）つまり、着るものと食べるものに悩まなくなること、そして義務教育、基本医療、住宅安全という三つの面の保障を確保することを指すもので、これは中国が貧困脱却のための「易地扶貧搬遷」（居住地移転）政策の中で提起した主な目標である。（訳者注）

そが貧困から脱却するといった決勝の肝心なステップであり、打ち方は初期の全面的な配置、中期の全面的な推進と区別しなければならない。そして最も重要なのは各部門の緩みを防止することである。各地区の各部門は必ず気勢を合わせて粘り強く戦い、全勝を勝ち取らなければいけないだろう。

二〇二〇年四月二十日から二十三日にかけた、陝西省での視察活動において、習近平総書記は「第一に、人々を移転させることとは、水土不足な地域の人々を救いだし、貧困層が飛躍的に発展する近道であり、貧困脱却の重要な道でもある。第二に、問題が解決された後、後続の支援として最も重要になってくるのは就業問題である。貧困扶助と移転の後続支援を強化し、貧困脱却の成果をどうやって強固にするかが鍵だ。第三に、突出した問題を狙って、正確な施策を実施し、貧困人口を脱貧困させる仕事をしっかりと行い、土地の都合に応じた地域の特色ある産業を発展させ、貧困対策の監視と扶助メカニズムの確立を加速させる必要がある」と指摘した。

これらの座談会と考察では毎回一つのテーマをめぐって、同時に仕事の表面要求を発表する。こうした特別会議で習近平総書記は系統的な指示を行い、貧困から脱却する理念と原則を明らかにし、貧困脱却するルートと措置を指摘した。習近平総書記の貧困脱却に関する一連の重要な論述は、体系的なマルクス主義の反貧困理論を構成しただけでなく、人類全体の反貧困歴史においても、極めて先進的な科学の理論体系であると言える。これらの科学的理論の指導があってこそ、中国は終始勝負の自信を持つことができるだろう。

二　中国の貧困脱却の堅塁攻略における決定的な成果を全面かつ正確に評価する

二〇二〇年末、中国の貧困脱却作戦は全面的な勝利を収めた。現標準では、九千八百九十九万人もの農村の貧困人口が貧困から脱却し、八百三十二の貧困県が貧困県でなくなり、一二・八万の貧困村が貧困から脱却し、地域全体の貧困が解決され、絶対貧困をなくすという困難な任務を完成させた。これは中共が中国人民を指導して創造した人間の奇跡であると言えるだろう。

中共十八大以来、中共中央が打ち出した、小康社会を全面的に建設する上で最も困難かつ最も重要な任務は農村、特に貧困地区にある。農村の小康、特に貧困地区の小康がないと、全面的な小康社会とは言えない。そして貧困は社会主義ではないということが強調されている。もし貧困地域が長期にわたって貧困で、変貌が得られず、大衆の生活水準が長期にわたって明らかに向上していないなら、中国の社会主義制度の優越性は反映されていないということになり、勿論それは社会主義でもない。二〇一二年末、中共十八大開催後間もなく、中共中央は「小康状態にあるかどうか、肝心なのは老郷（同郷の人）を見て、貧困の郷で貧困から脱却できるかどうか」だと強調し、さらに「貧困地区、貧困大衆を決して見捨てない」と約束し、新時代の貧困から脱却する序幕を切った。二〇一三年、中共中央は貧困扶助の理念を発表し、貧困扶助の活動メカニズムを革新させた。二〇一五年に、中共中央は貧困扶助開発業務会議を開催し、貧困脱却の目標を実現するための全体的な要求を出し、対象の支援、プロジェクト手配、資金の活用、各家庭への措置、村に応じた適切な人員の派遣、貧困脱却といった「六つの精確な貧困扶助」を実現した。また生産の発展、人々の移転、生態補償、発展教育、といった社会保障の「五つのプロセス」を実行し、貧困脱却作戦に勝つための総攻撃令を発した。二〇一七年、中共十九大では精確な脱貧困対策を三大攻略戦の一つとして全面的に展開し、小康社会の目標を作り上げ、深度貧困を克服し、貧困から脱却するといった勝負に出た。二〇二〇年に、新型コロナウィルスの発生状況と巨大な洪水の被害状況に強力に対応するべく、中共中央は全党全国がより大きな決心、より強い力度で、『試験問題の追加』を行い、首尾よく決着戦を行い、自信を持ってこうした貧困から脱却し最後の勝利に向かって進軍するよう求めた。

中国農村の貧困人口はすべて脱貧困することが可能だ。中共十八大以来、毎年平均一〇〇〇万人以上の人が貧困から脱却している。この数は中等国の人口が貧困から脱却するのに相当する。また貧困人口の収入水準も著しく向上した。そして脱貧困した大衆は食べ物に困らず、衣服にも困らない、義務教育、基本医療、住宅安全の保障といった「二つの悩まないと三つの確保」といった目標も実現され、同時に飲用水の安全も保障された。二千万人以上の貧困患者が分類されて治療され、かつて病魔に悩まされた家庭は正常な生活を送ることができるようになった。二千万近くの貧困層が生活保護と特別救済を受け、二千四百万人以上の困難と重度の障害者が介護および生活手当を受けた。一一〇万人以上の貧困層が森林保護員となり、自然保護を促進させた。雪国高原、ゴビ砂漠、断崖絶壁、大石山間地帯、等の地域も貧困から脱却し、多くの人々運命を明るく転換させた。

貧困から脱却した地域の経済・社会の発展は大股で追いついてきた。貧困地区の発展のペースは著しく加速し、経済力が増強し、インフラ整備は急進し、社会事業は長足で進歩し、食水難、電気使用難、通信難、通学難、医療難などの問題が解決された。また義務教育の段階における、貧困家庭の学生の中退といった件数はゼロになった。条件の許す限り農村地区でもアスファルトの道路を建設し、バス、郵便路も開通させた。新しく改造された農村道路は約一一〇万キロメートル、新しく作られた鉄道は約三・五万キロメートルにまで登った。貧困地区の農業網の電力供給の信頼性は九九％に達し、大電力網の範囲内の貧困村の通電率は一〇〇％に達し、光ファイバと4Gの割合はいずれも九八％を超えている。七百九十万戸、二千五百六十八万人の貧困層の危険住宅は改造され、累計で集中安置区が三・五万軒建設され、住宅は二百六十六万セット配置され、九百六十万人以上の人が「貧困層」から離れ、閉塞と立ち後れを抜け出して、新しい家に引っ越した。多くの貧困層が壊れかけの橋や険しい道に別れを告げ、道路を通るように、そして苦い塩水に別れを告げ、きれいな飲用水を飲むようになった。たった二十八人と、人口が少ない民族も全員貧困から脱却することに成功した。新中国成立後、「一歩で千年を跨ぐ」社会主義社会の「民族通過」といったスローガンが実現され、貧困から小康までといった第二の歴史的な飛躍ぶりを実現し、すべての深度貧困地区の抱える問題にとどめが刺された。脱貧困地区は至るところに山郷の大きな変化が現れている。

三　問題を正確かつ科学的に把握し、的確な対策を立てて解決する

中共はかねてから仕事をするには主な問題、および問題の主な原因と事実をつかむべきだと強調している。問題を見定めさえすれば、半分は成功したと言える。そのため、当面の貧困脱却戦が直面するリスクと挑戦に対して、中共は十分に理解している。習近平総書記は二〇二〇年三月六日の講演で、貧困脱却戦に直面する困難な挑戦には四つの面があると指摘した。貧困脱却と堅固な任務が残り、新型コロナウィルスの流行が新たな挑戦をもたらし、貧困脱却の成果を強固にするのがより困難になり、貧困脱却の取り組みは強化される必要がある。具体的には、第一に、残りの貧困は貧困の中の貧困、困難の中の困難である。こうした残りの貧困人口の中で、高齢者・病人・障害者の割合は四五・七％に達する。高齢者人口の多くは重度の高齢化人口であり、多くの年齢は八、九十歳代であった。病人は普通の軽症ではなく、長年の病気により基本的に労働力を失っている。第二に、新型コロナウィルスの流行が貧困脱却を更に難航させ、農産物の売れ行きにも影響している。第三次産業の中では、物流、生産及び生活サービス業が受けた新型コロナウィルスの影響は最も大きく、二〇二一年第1四半期の第三次産業の成長速度は「断崖式」の低下或いは右肩下がりの低下を示した。これは貧困地区の出稼ぎ労働者の仕事に直接影響を与える。国務院の貧困扶助弁公室党組書記、劉永富主任は『求是』雑誌二〇二〇年第九号で「断固として新型コロナウィルスの影響を克服し、全力で貧困から脱却し、硬骨を克服する」と題した文

章を発表し、「新型コロナウィルスの蔓延は貧困労働者の出稼ぎ労働に支障をきたし、一部の貧困労働力は一—三か月の就労収入がない。こうした発生状況は貧困層の生産経営を妨げ、生産と消費を低下させ、産業の貧困扶助収入の増加に影響を与えた。新型コロナウィルスは貧困扶助プロジェクトの着工を妨げ、往年は元宵節後に着工されるものであったが、今年の開始時間は遅延された」と指摘した。第三に、貧困から脱却する過程において、また貧困に戻ってしまうといったリスクが存在する。つまり、ある場所では脱貧困が実現しても、他地域が貧困化してしまう可能性があるのだ。各地の初歩的な調査によると、すでに貧困から脱却した人口のうち約二百万人と周辺人口約三百万人が貧困に戻ってしまうリスクに晒されている。各地の初歩的な調査によると、すでに貧困から脱却した人口の中には二百万人近くが貧困に陥るリスクがあり、周辺人口の中には三百万人近くが貧困になるリスクがある。危険がある一方で、絶対貧困人口が貧困から脱却するのは、そもそもかなり低い水準での脱貧困から脱却であるため、自然と貧困に陥る可能性が極めて高い。一方で貧困化するに原因は多く、ある者は病で貧しくなり、ある者は嫁をもらうために貧しくなり、ある者は訴訟のために貧しくなり、ある者は離婚のために貧しくなり、ある者は冠婚葬祭のために貧しくなるなど、様々な要因が考えられる。第四に、貧困から脱却した後の支援が足りないという現象が起こる。これは一部の幹部が貧困脱却を実現させ、大成功を収めたと感じ、そのまま放置してしまうという事が原因だ。これによって、仕事の重点の移転、投入力の低下、幹部の精力の分散などといった現象が引き起こされる。これがいわゆる、形式主義、官僚主義というものだ。

これらの問題に対して、習近平総書記は明確な解決策を示した。その方法とは一つ目に、心を一つにし五十二の貧困県と一一一三の貧困村に対する徹底した管理および脱貧困化の実施といった最後の「硬い骨」をかじるということが挙げられた。このため、中共中央政治局常務委員、全国政治協商会議主席である汪洋は四月十三日、北京で中西部の十一省区二十四人の県委員会書記を召集し、貧困脱却攻略戦会議を開催し、演説を行った。汪洋は形式主義、官僚主義を断固として克服し、看板を掲げた督戦を実施し、最後まで戦い抜く。看板を掲げた督戦の中でただ監督で戦わない、監督が強く戦う弱く、監督を重視して扶助を軽視するなどの問題を断固として是正し、問題提起と問題解決を結びつけ、上役と部下を一緒に縛り上げて、各仕事が真章、実効を示すことを確保する、と要求した。

二つ目に、新型コロナウィルス感染の予防及び貧困からの脱却を総合的に推進するといった点が挙げられた。つまり、コロナウィルスによる貧困回復人口に対する扶助をしっかりと行い、コロナウィルスの影響を受ける貧困人口の状況を密接に追跡し、タイムリーに問題を解決するということになる。国務院の貧困対策部門はこれに対し、感染状況分析対応メカニズムを作り、毎週感染状況の貧困脱却に対する影響を研究し、関連部門と共に一連の対策を打ち出した。幹部を村に駐在させ観察を行い、ウィルス蔓延予防と貧困脱却の取り組みを計画的に行う。定期的に貧困脱却の進度を確認し、各地に細心の注意を払うよう促す。感染状況を十分に見積もるためには、貧困から脱却する戦いの影響を十分に見積りつつ、困難を予測する必要があり、各級の地方政府は専門的な隊列を作り実際にコロナウィルス蔓延の影響を受ける貧困人口の状況を把握しなければならない。

三つ目に、貧困から脱出した貧困県、貧困村、貧困人口に対して、現在の扶助政策の全体的な安定を維持し、主要な政策措置にブレーキをかけないようにするという点が挙げられた。四つ目に、新たな構想を樹立するということは、貧困脱却が終点ではなく、新生活及び新たな奮闘の出発点であるという点が挙げられた。これは、貧困削減戦略と仕事システムの安定的な転換を推進し、農村振興戦略を統一的に組み入れるといったことである。これらの方法は標的性、また長期性があり、当面の問題を解決するだけでなく、根本的な問題を解決することにも着目している。

四　充分に制度の優勢を発揮しよう

習近平総書記は「総じて言えば、貧困から脱却する分野においては未だかつてない良い成果を収め、中共の指導と中国の社会主義制度の政治的優位性を明らかにした」と指摘した。これは中国の特色ある社会主義が力を集中して大事を行う生き生きとした姿の体現であり、また貧困脱却の国家制度と国家ガバナンスシステムに顕著な効果でもある。中共十八大以来、中国政府は貧困脱却の国家制度・ガバナンスシステムに大きな力を入れてきた。国家ガバナンスシステムは常に改善され、効果も絶えず向上している。

中国の国家制度・ガバナンスシステムの威力はまず中共の全面的な指導体制からなる。貧困から脱却する過程で、中国は終始中共の指導を堅持することを強調した。習近平総書記は何度も「貧困から脱却し、指導を強化することが根本だ。各級の党委員会が全体を支配し、各方面を協調させる役割を果たすことを堅持し、貧困から脱却するために、しっかりとした政治保証を提供する必要がある」と強調した。中共の指導制度は常に人民を中心とする発展理念を体現しており、人民のために政権を握り、人民のために政権を握る諸制度がある。人民大衆を中心としながら、特殊な人々、重点的な人々、困難な人々にも関心を持たなければならない。指導を強化する根本的な理由は、人民を中心とする発展理念が中央のトップレベルの制度設計を通じて貧困扶助の仕事に確実に貫徹できるからである。このため、習近平総書記は二〇一八年二月十二日に精確な貧困脱却作戦の座談会で「中央統一計画とは、頂層設計（中央政府上層部がトップダウンで統括的に策定する）をしっかりと行うことで、主に両端を管理し、政策、資金などの面で地方のための条件を創造することであり、もう一つは貧困脱却効果の監視を強化することである。省は総責任を負って、すなわち上から下へ引き継ぐ、中共中央の政策方針を実施案に転化させ、指導と監督を強化し、仕事の着地を促進させる必要がある。市県は、その地方の実情に応じて、現地の状況に基づいた貧困から脱却するための各種政策措置の定着を推進させる。評価メカニズムを改善し、貧困から脱却し、進展状況によって、省全体の責任を配分する。またこれは、各部門への要求と責任にも反映され、審査にも反映される。第三者による評価方式を改善し、範囲を縮小し、手順を簡素化し、『二つの悩まないと三つの確保』といった目標の実現状況を評価する。貧困県の脱却に関する特別評価検査は省内組織に任せ、中央は監督・巡査と連携して抜き取り検査を行い、信憑性を確保する。省レベルで指導方式の改善を、今年もう一度集中的に行い、その後は随時問題を発見し、随時会議を行う」と話した。こうした中央政府上層部から末端までといったシステム設計は、中国の国家制度・ガバナンスシステムの優位性であり、十分に活用して、貧困問題を解決する効果に変えていかなければならない。

また、中国の国家制度・ガバナンスシステムの威力は中国の緊密に貧困から脱却する仕組みからなる。二〇一五年十二月、中共中央・国務院は「貧困脱却作戦に関する決定」を発表し、一連の体制にまつわる要求を出した。「決定」の精神を完全に徹底させるため、二〇一六年十月に、中共中央弁公庁・国務院弁公庁が「貧困脱却責任制実施弁法」を発表した。その内容とは中西部二十二省（自治区、直轄市）の党委員会と政府、関連の中央と国家機関の政策実行に適用され、貧困から脱却することを要求する。二〇一八年八月、中共中央・国務院はまた「貧困脱却戦三年行動に関する指導意見」を発表し、この意見では貧困地域の政策の傾斜、産業の貧困扶助力の拡大と、就業・貧困扶助を全力で推進し、財政の投入保障を強化し、金融貧困扶助の力を強め、貧困脱却メカニズムが健全化される。貧困脱却の責任制など、さまざまな面で制度設計が行われており、この国家制度・ガバナンスシステムは科学的であるだけでなく、非常に優れた操作性を持っている。

国家制度・ガバナンスシステムを作り上げる過程において、中国は特に貧困扶助の領域における腐敗が起こらないよう注意し、貧困扶助の任務が潔白かつ着実に行われることを確保する。習近平総書記は、「貧困分野におけるハエ型の腐敗（庶民の周囲で小さな腐敗）は、個々の事件の金額は大きくないが、まるで無数のアリの巣が大きな堤防を崩し、大量発生したバッタが肥えた土地を飲み込むように、こうした腐敗が現れれば、貧困から脱却する効果が大幅に下がるだけでなく、中共と政府に対する大衆からの信頼を深刻に損なうことになる」と強調した。中共中央紀律委員会弁公庁は二〇一七年十二月に関連の通知を作成し、二〇一八年から二〇二〇年まで継続的に貧困扶助分野の腐敗と作風問題に関する特別治理を実施することを決定し、制限無し、全域、零容忍（一切容赦せず）、そして重い抑制、強い高圧、長い震撼を保ち、各級の党委員会、政府及び関連の職能部門が貧困脱却の堅塁攻略という重大な政治的責任を真剣に履行するよう促す。二〇二〇年までに、中国の現行の基準に基づき、農村の貧困人口が貧困から脱却することを確保するために、強力な規律保障を提供した。二〇二〇年一月に開催された中共第十九期中央紀律委員会第四回全体会議では、貧困脱却の決戦における全面保障、大衆に対する集中的な管理、突出した問題の反映、貧困脱却に対する業績と貧困脱却政策の連続性・安定性の強化、および貧困脱却後の「責任を取らない、政策を取らない、助けを取らない、監督管理を取らない」状況に対する厳しい監督検査を実行し、数字上のみの貧困脱却や虚偽の貧困脱却に対して、厳しく責任を問う。ここ二年で、こうした特定の管理は著しい効果を収め、貧困から脱却するための力強い保障のうちの一つとなった。

習近平総書記はかつて「期限通りに貧困から脱出し、中華民族に千年以来存在している絶対的な貧困問題は、我々世代の手で歴史的に解決させる。これは我々の人生における大きな幸運であり、中華民族にとって、人類全体にとって大きな意義を持つ偉業を達成するために共に努力しよう」と指摘した。中共党員・幹部の一人一人が、「残して勇んで敵を追え」という精神を持ち、この偉大な事業の実現にさらに力を入れ、火をつけ、力をつけることが求められている。

第三章　中国の特色ある社会主義の新時代の主な内容と基本的な特徴

中共十九大報告書では、中国の特色ある社会主義が新たな時代に入ったと記載されている。これは中国発展史における新たなステップである。さらに、中国の特色ある社会主義が新時代に入るということは、近代以来、苦難に満ちた中華民族が立ち上がり、富み、強くなるまでの偉大な飛躍を迎え、中華民族の偉大な復興を実現する明るい未来を迎えたということを意味する。また、科学社会主義が二十一世紀の中国で強大な活力を生み出し、世界で中国の特色ある社会主義といった旗印を高く掲げたと言っても過言ではない。中国の特色のある社会主義の道、理論、制度、文化が発展することで、発展途上国の現代化への道が開拓され、世界の発展を希望している国と民族に新たな選択が提供された。そして人類共通の問題を解決するために中国の知恵が貢献されている。世界の発展と中華民族の五千年余りの文明史の視角から見ても、中国の特色ある社会主義の新時代は鮮明な特徴を持っていることは明らかだ。

一　中国の特色ある社会主義の新時代は人類発展の法則と歴史の流れに従い、科学社会主義の生命力を示す時代である

二〇一七年九月二十九日、習近平総書記は中共第十八期中央委員会政治局第四十三回集団学習会において、「私たちが置かれている時代はマルクスの時代と比べて大きく深い変化が発生じているが、世界の社会主義五百年の大きな視野から見ても、依然としてマルクス主義が指定した歴史時代にある」と強調した[1]。この時代は資本主義の代わりに社会主義が共産主義に邁進する時代である。これはマルクス主義に対して確固たる自信を持ち、社会主義に対して必勝の信念を持つ科学的根拠だ。この大時代はかなり長い歴史の流れの一部である。鄧小平が一九九二年の南方談話の中で言ったように、社会主義制度を強固にし発展させるには、まだ長い時間が必要であり、数世代のみならず、数十世代にも及ぶ人々がたゆまず努力して奮闘していく必要がある。習近平は二〇一四年二月に、「社会主義制度を強固にし、発展させるにはまだ長い道のりが必要であり、私たち数世代のみならず、数十世代にも及ぶ人々が努力して奮闘する必要がある。では数十世代とはどんな概念だろうか?孔子の子孫は今でも八十代だ」と指摘した[2]。中国の特色ある社会主義

（1）「マルクス主義の時代意義と現実的意義を深く認識し、マルクス主義の中国化、時代化、大衆化を引き続き推進していく」、人民日報、2017年9月30日。

（2）習近平『全面的な改革深化を堅持する』、北京、中央文献出版社、2018年、92頁。

の新時代はこの大時代の重要な構成部分である。この大時代の重要な構成部分として、中国の特色ある社会主義は輝かしい未来があるとずっと信じてやまない。この大きな変化を遂げる時代における、中国の特色ある社会主義がもたらすやりがいと可能性は無限大だ。

中国の特色ある社会主義の新時代は科学社会主義が巨大な活力を示す時代である。二〇一三年一月五日、中共第十八期中央委員会の新しい委員、委員候補の中共十八大精神研究班始業式での重要な演説の中で、習近平総書記は「中国の特色ある社会主義は、科学的社会主義理論と中国社会発展の歴史的論理の弁証法的な統一であり、中国大地に根を下ろし、中国人民の願望を反映している」と強調した。中国の時代の発展と進歩の要求に適応した科学社会主義は、小康社会を全面的に構築し、社会主義の現代化を加速させ、中華民族の偉大な復興を実現するための道である。習近平総書記はまた、「中国の特色ある社会主義は、科学社会主義の基本原則に則り、時代の条件と重なり、鮮明な中国の特色を発揮している。つまり、中国の特色ある社会主義は社会主義であり、他の何かの主義ではない」と指摘した。(1) 科学社会主義は階級を消滅させ、共産主義を実現するべくプロレタリア独裁を堅持しなければならないと主張する。中共十九大報告でも、中国は労働者階級が指導し、労農同盟を基礎とした人民民主独裁の社会主義国家であることが強調されており、中華人民共和国の現行憲法第一条には、「中華人民共和国は労働者階級が指導し、労農

(1) 中共中央宣伝部『習近平総書記一連の重要演説読本』、北京、学習出版社、2016年、28頁。

同盟を基礎とする人民民主独裁の社会主義国家である」と鮮明に記載されている。

中国の特色ある社会主義の新時代は、社会主義の初期段階の歴史的任務を順調に完成させる時代である。マルクスやエンゲルスは科学社会主義理論を創立する際、人類社会の発展過程を考察、分析し、未来の共産主義社会発展段階に対する科学的な論断を出した。中でも、マルクスの一八七五年に書かれた「ゴータ綱領批判」の中では初めて共産主義社会が「第一段階」から「上級段階」までの発展過程を経過すると提起された(1)。そして鄧小平は社会主義の初期段階を「共産主義社会の第一段階」と明確に定義した。中国の特色ある社会主義の新時代は社会主義の初期段階の後半といった偉大な時代であり、この時代では三十年余りの時間をかけて社会主義の初期段階におけるそれぞれの歴史的任務を完成させる。中共十三大では、社会主義の初期段階の歴史的任務が明確化された。中国の社会主義の初期段階は、貧困から脱却し、立ち遅れた段階から脱却することである。農業人口が多数を占める手作り労働を基礎とした農業国から非農業産業人口が多数を占める現代的な工業国へ、自然経済から半自然経済へ代わり商品経済が発達した国へ、そして改革と探求を通じて、活力に満ちた社会主義経済、政治、文化体制を構築し、発展させ、全国民が奮って起業し、中華民族の偉大な復興を実現する。中共十五大では更に社会主義の初期段階の歴史的任務が詳しく述べられた。その内容とは元々農業人口が大きな比重を占め、主に手作

(1)　マルクス、エンゲルス『マルクスエンゲルス選集』第3巻（第3版）、北京、人民出版社、2012年、363頁。

り労働に依存していた農業国から非農業人口が多数を占め、現代農業と現代サービス業を含む工業化国家へ、半自然経済を主要とすることで経済市場化の度合いをより高く、文盲人口が大きな比重を占め、科学技術や教育文化が立ち遅れていた国から科学技術教育文化が比較的発達した国へ、貧困人口が大きな比重を占め、人民の生活水準が低かった国から全人民が豊かな国へ、非常に悪い地域の経済と文化のバランスも、今後の発展を通じて、徐々に差を縮小するといったものであった。また、改革と探求を通じて、成熟した活気に満ちた社会主義市場経済体制、社会主義民主政治体制及びその他の諸体制の歴史段階を確立し、整備し、広範な人民が中国の特色ある社会主義共通の理想を堅固に築き、自ら努力し、鋭意進取・刻苦奮闘・勤倹建国し、物質の文明を築くとともに精神の文明の歴史的段階を構築できるよう努力すること、そして世界の先進水準との格差を徐々に縮小し、社会主義の基礎の上で中華民族の偉大な復興を実現する歴史的段階であることなどが掲げられた。

中共十八大以来、習近平総書記は社会主義の初期段階といった基本的な国情を堅持することの重要性を繰り返し強調してきた。二〇一二年十一月十七日、中共第十八期中央委員会政治局が初めて集団学習を行った際、彼は「総根拠を強調するのは、社会主義の初期段階が現代中国の最大の国情であり、最大の実際であるからである。いかなる状況においても、この最大の国情をしっかりと把握し、どの方面の改革発展を推進するにも、この最大の現実にしっかりと立脚しなければならない。政治・文化・社会・生命の文明を築く上でも常に初期段階をしっかり覚えなければならない。経済総量が低い時は初期段階に立脚するだけでなく、経済総量が上がった後も初期段階をしっかりと覚えておく必要がある。長期的な発展をはかる時は初期段階に立脚するだけでなく、普段の小さな政務でも初期段階をしっかりと覚えておくべきだ」と指摘した。[1] つまり、どのような状況で仕事を進めるにも、社会主義の初期段階という基本的な国情をしっかり覚えておく必要があるということだ。更に中共十九大報告では、「わが国の社会の主な矛盾の源は、わが国が社会主義における歴史的段階の判断を変えていないからだということを認識しなければならない。中国は長期にわたり社会主義の初期段階だといった基本的な国情は変わっておらず、世界最大の発展途上国といった国際的地位も変わっていない。社会主義の初期段階という最大の現実は、党と国家の生命線であり人民の幸福線をしっかりと保つ」と指摘された。

こうした社会主義の初期段階の困難な歴史的な任務を完成するのはまさに中国の特色のある社会主義の新時代が担う使命である。この新時代では社会主義の初期段階における歴史的な任務を完成させ、社会主義初期段階をより高い段階に推し進める。そして農業国を製造業の強国に変える。この新時代では科学技術と教育文化の面でも科学技術強国、教育強国、文化強国に変えていく。また世界の舞台の中央に入る国になる。この新時代では、貧しい国を豊かな国に変えたい。中華民族は強大な社会主義の初期段階に向かっている。今日から二〇四九年まで、社会主義の

(1)　中共中央文献研究室『十八大以来の重要文献の抜粋』(上)、北京、中央文献出版社、2014年、76頁。

初期段階が終わるまでにはまだ三十年の時間があるが、これは中国が全面的に小康社会を築いた後、社会主義現代化への転換を基本的に実現する歴史的な段階であり、中国が強大になる段階である。このステップで中国は「科学技術強国」の戦略を実施することで、二〇二〇年までに革新型の国家となり、二〇三五年までには革新型の国家の前列に入り、二〇五〇年までに世界の科学技術の革新強国となり、世界の主要な科学センターと革新の高地となる。ネット強国の戦略、および「インターネット＋」といった行動計画、そして国家のビッグデータ戦略を実施し、デジタル強国を築き上げる。また「中国製造二〇二五」を発表し、工業の基幹工事の実施、戦略的産業の育成、製造強国の構築を行うことで、二〇二〇年までに製造強国の仲間入りを果たし、また二〇三五年までに製造業全体で世界製造強国陣営の中等レベルに達し、二〇四九年に総合実力で世界製造強国の先頭に入る。人材優先発展戦略を実施し、人材発展体制の改革と政策革新を推進し、国際競争力のある人材制度の優位性を形成し、人材強国を確立する。陸海の統一計画を堅持し、海洋経済の強化、海洋資源の科学的開発、海洋生態環境の保護を行い、中国の海洋権益を守り、海洋強国を確立する。厳格な知的財産権保護制度の実施、革新を奨励する知的財産権帰属制度の完備、知的財産権運営取引とサービスプラットフォームの構築を行い、知的財産権強国を確立する。「法治の中国」を作り、二〇二〇年までに法治の政府を整え、司法公信力を向上させ、人権の確実な保障、財産権の有効な保護がなされる。平和な中国の建設を推し進め、中共指導・政府主導・社会協力・公衆参与・法治保障の社会治理体制を充実させ、社会治理の精密化を行い、全国民が共有できる社会治理の構造を作り上げる。また、美しい中国を作り、グリーン成長（自然環境や自然資源への負担を軽減し、持続可能な開発や発展を目指す経済成長のあり方）で国を富ませ民を豊かにすることを堅持し、人民のために更に高品質の製品を提供し、グリーンな成長方式と生活方式を形成することを推進し、協力して人民の豊かさ、国家の富強、美しい中国を実現する。また、ブロードバンド中国の建設を推進し、二〇二〇年までに、中国のブロードバンドネットワークインフラの発展レベルと先進国との差が大幅に縮小され、国民はブロードバンドによる経済成長、便利さ、発展の機会を十分に享受することができる。そして健康な中国の建設を推進し、二〇二〇年までに都市と農村をカバーする基本医療衛生制度と現代病院管理制度を確立し、主な健康指標を中高収入国の前列に立て、二〇三〇年には主要健康指標が高収入国の仲間入りを果たし、二〇五〇年には社会主義現代化国家に適応した健康国家となる。

これは各方面において制度が成熟し定型化した社会主義の初期段階である。二〇二〇年までに、重要な分野と重要な部分の改革で決定的な成果を収め、システムが完備し、科学的な規範が形成され、効果的に運営される制度体系が形成され、各方面で制度がより成熟し、定型化される。人民代表大会の制度、中共指導の多党協力の政治協議制度、民族協力と区域自治制度や、基層の群衆自治制度がより健全になり、民主的制度がより健全になり、民主的形態がより豊かになり、市民の秩序ある政治参加は、あらゆるレベル、あらゆる分野で拡大し、社会主義政治制度の優越性を十分に示す。公有制を主体とする多様な所有制経済が共同発展する基本的な経済制度を絶えず改善する。国有経済の活力、統制力、影響力は日増しに強化され、非公有制経済の活力と創造力は日増しに励起され、各種所有制の資本は長所と短所を補完し、相互に促進し、相互に浸透される。すべての労働、知識、技術、管理、資本の活力がほとばしって、社会の富を創造するすべての源泉が充分に湧き出て、人民の生活は一日一日といっそうすばらしいものになる。

これは人類の発展により大きく貢献した社会主義の初期段階である。中国は社会主義国家であり、平和、発展、協力、ウィンウィンの時代の流れに順応し、平和発展の道を堅持して歩み、人類の運命共同体を作り上げ、各方面との関係の全面的な発展を推進している。

社会主義国家として、中国は主に自分の力で経済と社会の持続的な発展を推進すると同時に、自分の発展で世界経済の成長を導いている。国際金融危機の発生以来、中国の経済成長が世界経済の成長に貢献した割合は年平均三〇%以上だ。社会主義の初期段階において、中国は自らの長期的な発展水準と人民の生活水準が高くない状況の中で、自らの発展状況と一致する国際的な責任を敢えて引き受け、人類の進歩のために絶えず強大なエネルギーを注入してきた。一九五〇年から二〇一六年までに、中国は累計で四千億元余りの対外援助を提供し、各種の海外援助プロジェクトを五千余り実施し、そのうち三千近くのパッケージプロジェクトを実施し、一万一〇〇〇回余りの訓練班を開催し、発展途上国のために中国で二十六万人余りの各種人員を訓練した。これだけでなく、中国はグローバルガバナンスの改善のために中国の知恵、中国の力を貢献し、発展途上国が現代化に向かうために中国案、中国の道を貢献するよう努力する。

二　中国の特色ある社会主義の新時代は人民を中心にして、人民がより能動的に歴史を創造し、より美しい生活を実現する時代である

中国の特色ある社会主義の基本方針は、人民を中心とし、人民が歴史の創造者であることを、そして中共と中国の未来の運命を決定する根本的な力であることを強調し、人民の主体的な地位を堅持し、中共を主人公、執政を民とし、誠心誠意を持ち人民に奉仕し、中共の大衆路線を全ての政治活動の中に貫き、人民の美しい生活に対する憧れを目標とし、人民に頼り歴史的な偉業を成し遂げるといった内容だ。これは中国の特色ある社会主義の新時代の要求に合致している。

中国の特色のある社会主義の新時代は中国の各民族の人民が団結して奮闘し、美しい生活を絶えず創造し、中国人民が共に豊かになる時代を一歩ずつ実現することである。この新しい時代では、中国人民の日々増えていく生活の需要を満たすことに力を入れなければならない。中国人民の生活の需要広がることは、物質的な生活に対するより高い要求を提起するだけでなく、民主、法治、公平、正義、安全、環境などの面での要求も日増えている。配給制であった四十年以上前、大衆が必要としていたのは食糧券、布券、肉券、ガソリン券、自転車券、ミシン権、冷蔵庫券、テレビ券、航空券などであったが、「グリーン開発」の理念が人々の心に入るにつれて、大衆は新鮮な空気や、衛生的な環境をもたらす生態製品に対する需要が増え、良好な生態環境に対する期待がますます高まっている。習近平総書記は、「政治経済学の観点から見ると、供給側（サプ

ライサイド）の構造的な改革の根本は、中国の供給能力をよりよく満たし、広範な人民の日々増加する成長、向上、そして個性的な物質文化と生態環境の需要を満たし、社会主義生産の目的を実現することである」と明確に指摘した。(1) 中共十九大報告では、「私達が建設したい近代化とは人と自然が調和して共生する現代化であり、より多くの物質的な財産と精神的な財産を創造し、人民の日々増加する生活需要を満たすために、より多くの良質な生態製品を提供することで、国民の美しい生態環境への需要も満たされる」と強調された。人民の生活需要における重点のうちの一つは、より良い養老サービスである。ここ数年、中国の人口構造は大きく変化した。高齢者人口の比重が上昇し、養老の需要は急激増加しているが、老年福祉産業の発展はまだ比較的遅れている。そのため、養老サービス業の供給側（サプライサイド）の構造改革の加速、基本的な需要の保障、養老市場の繁栄、サービスの質の向上を行い、多くの高齢者層に良質な養老サービスを提供し、すべての老人をきちんと養育できるようにする。

中国の特色ある社会主義の新時代は大衆が自分の創造性をより十分に発揮できる時代であり、人民が歴史の偉業を創造する時代である。この新時代において、改革を全面的に深化させることによって、広範な人々の創業により、より多くの機会を提供する一方、全面的に市場参入のマイ

（1）習近平『省部級の主要指導幹部が中共第十八期中央委員会第五回全体会議精神を学習・貫徹する研究班での講演』、北京、人民出版社、2016年、30頁。

ナスリスト制度を実施することによって、統一市場と公平競争を妨げる各種規定とやり方を整理し、そして民営企業の発展を支持し、各種市場の主体的な活力を奮い立たせる。一方では、商事制度の改革を深化させることにより、行政的な独占や市場独占を防止し、企業の発展により多くの機会を提供する。中共十九大では「労働力、人材の社会的流動を妨げる体制の弊害を打破し、誰もが勤勉な労働を通じて自身の発展を実現する機会を持つようにする。これは人民の美しい生活の実現の基礎と前提だ。私達は更に積極的で、より開放的で、より効果的な人材政策を実行して、意欲に満ちた良い人材を増やし、誰でもその才能を発揮できる良好な局面を形成するよう努力する」と発表された。

この方面の改革は真剣に行われた。二〇一八年三月二十日午前、第十三期全国人民代表大会の第一次会議閉幕後、国務院総理の李克強は人民大会堂三階の金色ホールで第十三期全国人民代表大会（全人代）第一回会議の中外記者会見を行い、記者の質問に答えた。中国日報社の記者が「放管服」[1]の改革について質問したところ、李克強総理は「市場参入の緩和については、今年は六つの面で力を入れなければならない。六つの『一』というイメージを持っていただけると良い。その具体的な内容とは、起業時間をさらに半分（一半）に減らし、プロジェクトの審査時間を半分（一半）に切り、政務サービスを一つのウェブサイトで行い、企業と大衆の事務が一つの扉に入るよ

（1）　放管服とは、簡政放権（行政簡素化と権限委譲）、放管結合（権限委譲と管理の両立）、優化服務（サービスの向上）の略称。

う努め、法律法規の規定がない証明は一律（全部）取り消す。数年の努力を経て、今中国の企業を設立する時間はすでに速くなったと言えるが、全国平均ではまだ二十二日かかる。一部の先進国では一日もかからない。中国の各プロジェクトの施工許可はもっと長い為、繁雑さを減らす必要がある」と答えた。

この方面における最も生き生きとした例は浙江の「最大で一回」といった改革だ。二〇一六年、中共浙江省委員会経済工作会議は初めて「最大で一回」の改革を公開した。二〇一七年、浙江省政府の業務報告では正式に浙江省が「最大で一回」改革を実施すると公表し、まもなく浙江省では「最大で一回の「改革実施案」「浙江省公共データと電子政務管理弁法」が発表された。人民を中心に、データ共有を原則とした改革の構想は、民衆に獲得感、幸福感、満足感を与えた。「最大で一回」の改革は承諾から「一窓受付、統合サービス」「一ネット申請、宅配配達」「一コンサルティング、高効率インタラクティブ」と細分化され、各部門が共同で事務を行うことができるようになり、大衆の創業に対する積極性も大いに向上した。

三　中国の特色ある社会主義の新時代は共産党人が絶えずマルクス主義の信仰を樹立し、人民大衆が絶えず中国の特色ある社会主義共通の理想を樹立する時代である

崇高な信仰がなければ偉大な社会はできない。五百年前の一五一六年に、イギリスのトーマス・

モーアが発表した「ユートピア」は、人類が社会主義の美しい生活を求めるという流れを生み出した。一五一七年に、宗教改革者のマルティン・ルターは贖宥状（免罪符）の効力についての批判的な見解を「九十五か条の論題」の形で公表した。ルター学説はドイツとヨーロッパ北部で急速に広がり、各地で宗教改革の主張に追随する新教区が作られ、近代ヨーロッパ社会の発展を力強く推進させた。マルクスはルターの宗教改革を評価し、「権威に対する信仰を打ち破ったのは、信仰が信仰の権威を回復したからだ。僧侶を世俗人に変えたのは、世俗人を僧侶に変えたからだ」と述べた。[1] 歴史の課題は信仰と不信の衝突である。これはドイツの偉大な作家ゲーテが出した論断だ。「すべての信仰が支配的な地位を占めていた時代は、現代人と後代人に対して輝き、意気軒昂と実り多いものであった。一方、不信仰が支配的な地位を占めていた時代は、わずかな成果しか得られなかった。たとえ一時的で虚弱な栄光を誇っていたとしても、このような栄光はどんどん無くなっていく。信仰しないものに対する知識を得る心配がないからだ」[2]という彼の論断には完全に賛成できないが、彼の信仰の重要性に対する認識には正しいところがあると考える。中国の特色ある社会主義の新時代は偉大な闘争を行う時代であり、偉大な闘争を勝ち取るには偉大な信仰が必要である。中国が行っている偉大な闘争は長期的で複雑で困難であり、中国は断固と

（1）マルクス、エンゲルス『マルクスエンゲルス選集』第1巻（第3版）、北京、人民出版社、2012年、10頁。
（2）荊学民『人類信仰論』、上海、上海文化出版社、1992年、扉頁。

して中共の指導と中国の社会主義制度を弱体化し、歪曲し、否定するすべての言動に反対し、すべての人民の利益を損ない、大衆から離れる行為に断固として反対し、すべての瘴気を克服し、すべての祖国分裂、民族団結と社会の調和と安定を損なう行為に断固として反対しなければならない。政治、経済、文化、社会などの分野と自然界に現れるあらゆる困難と挑戦に断固として打ち勝つ。これを行うには、確固たる信仰が必要なのである。中共十九大報告書で指摘されたように、人民には信仰があり、国家には力があり、民族には希望がある。人民の信仰は中共指導に対する信仰、中国の特色ある社会主義における共通の理想と社会発展に対する信仰を含む。

中国の特色ある社会主義の新時代は偉大なプロジェクトを建設する時代であり、偉大なプロジェクトを建設するには偉大な信仰が必要である。新時代は常に中共の政治指導力、思想指導力、大衆組織力、社会アピール力を強化することを要求しており、中共が旺盛な生命力と強大な戦闘力を維持し、中共を時代の前列に立たせ、人民が心から支持し、勇敢かつ自主的に革命を行い、あらゆる試練を経て、活気に満ちたマルクス主義の与党を築き上げることを確保する。最も根本的な点は、中共で確固たるマルクス主義信仰を樹立することであり、習近平総書記が言ったように、共産党人の根本はマルクス主義に対する信仰であり、共産主義と社会主義の信念、中共と人民に対する忠誠である。こうした信念、そして忠誠を固めるといった、根本を固めた上で更に十分な努力をしてこそ、強大な免疫力と抵抗力があると言える。なぜ中共党員の根本はマルクス主義に対する信仰なのか？その答えは至って簡単である。マルクス主義の信仰は中共党員の力の源であり、マルクス主義は中共と中国人民の事業が発展していく偉大な木の根本であり、中共と中国人民が絶えず突き進む万里の川の流れの源であるからだ。マルクス主義の基本原理を堅持した上で、より広い視野、より長い目で国家の未来発展が直面する一連の重要な戦略問題を考えることが、実情の把握につながる。

マルクスは一八一八年五月五日に生まれた。彼と彼の戦友エンゲルスが創立したマルクス主義は人類の歴史に大きな影響を与えた。二〇一七年九月二十九日、中共第十八期中央委員会政治局第四十三回集団学習会で、習近平総書記は「人類の思想史上、科学、真理、影響力、伝達面において、マルクス主義の高度に達する思想理論は他にない。また、世界に対してこれほど大きな影響を与えたという学説も他にない。これはマルクス主義の巨大な真理の威力と強大な生命力を表しており、マルクス主義が人類に対して世界を認識させ、変革し進歩するうえで大切な役割を果たしている」と指摘した。マルクス主義は中共と中国人民が行進する道の方向であり、マルクス主義は真理の力、信仰の力、道義の力だけではなく、強大な世界観と方法論の力を持っている。

㈠　マルクス主義は真理の最高点を占め、歴史を越える力を持っている

二〇一六年五月十七日、習近平総書記は哲学社会科学工作座談会での演説の中で「実践でも証明されているように、時代がどのように変遷しても、科学がどのように進歩しても、マルクス主義は依然として科学思想の偉力を示しており、依然として真理と道義の最高点を占めている」と指摘した。どのような変化が生じても、マルクス主義が誕生して以来、この真理の最高点は一度

も破られたことがないと言える。マルクス主義の真理の力は、中国共産党の人々に限りない自信を与えている。習近平総書記は二〇一七年十月二十五日、中共第十九期中央委員会第一次全体会議の演説の中で、「この重任を担当して、我々自信に満ちている。何故ならマルクス主義の真理の力があるからだ。党の強い指導があるのは、中国の特色ある社会主義の正しい道があるからであり、全国の党・軍・各民族の人民の偉大な団結があるからだ」と述べた[1]。

マルクス主義は人類の歴史発展の真理を明らかにし、資本主義はその内在する克服できない基本的な矛盾のために必然的に社会主義に取って代わられると強調した。二十一世紀に入り、資本主義社会の基本的な矛盾にはきわめて複雑な変化が現れた。例えば、ネットのビッグデータは資本主義に対し、一見生産の盲目性を克服することができるように見えるが、実際には資本主義固有の生産社会化と生産資料を個人が占めて解決を得ることで、更に激烈な衝突が現れた。二〇〇八年に勃発した国際金融危機から今日まで、多くの西側諸国の経済は低迷を続け、二極化が激しくなり、失業者数が高止まりしている。政府管理の効果が低く、身分が不安になり、政党政治が崩壊し、社会の矛盾が深まり、宗教的な衝突が頻発している。これは資本主義の基本的な矛盾が蓄積されていることを物語っており、何度も危機が暴発しかけている。

異なる時代の思想家たちはマルクス主義の真理性を認めた。二十世紀から見ると、社会主義の

(1) 習近平「中共第十九期中央委員会第一回全体会議での講演」、求是、2018 (1)。

大発展期、あるいは社会主義の低潮期においても、偏見を持たない思想家たちはマルクス主義の真理性を認めている。一九七〇年代末、資本主義は変革期にあり、ノーベル経済学賞の受賞者である米国の有名な経済学者ポール・A・サミュルセンとウィリアム・D・ノッドハウスはその影響が大きい『経済学』で認められた。重要なのは彼の思想であり、この点においてI・ベルリンは「十九世紀の思想家はマルクスのように人類に対してこれほど直接的、熟慮的に大きな影響を与えた人はいない」と書いている。「(中略)私たちが概略的に考察した多くの初期の理論とは違って、マルクス主義の理論は今日も生命力を持ち、重要な役割を果たしている」[1]。彼らは「マルクスとエンゲルスの歴史に対する経済解釈は彼らの持続可能な貢献の一つである」[2]と嘆いている。二十世紀八十年代末、サッチャー英首相とレーガン米大統領が実施した一連の規制緩和政策により、資本主義は繁栄した発展期を迎えた。このような時期においても、西洋社会を客観的に認識する学者たちは依然としてマルクス主義の真理性を認めている。イギリスのトニー・ブレア元首相によって「進歩主義政治史界の巨人は、政治と学術指導者の一世代に影響を与えた」と称されたイギリスの著名学者であるホブスバウム氏は、「資本の時代　一八四八―一八七五」の中で、マルクス主義の業績は誰も手に入れるものがないと告白した。十九世紀に社会構造と社会変化に関する総合理論を述べた唯一の思想家は、社会革命を主張するマルクスであった。彼は経済

(1)　サミュルセン、ノドハウズ『経済学』(第12版)、高鴻業など訳、北京、中国発展出版社、1992、1290頁。
(2)　同上書、1293頁。

学者、歴史学者、社会学者の尊敬と賛辞を得て、今も尚尊敬されており、これは実に立派な成果である。(1) 二十一世紀の今の世界で、その真理の力は更に勢いがある。一九九二年、ユネスコによる「世界記憶プロジェクト」が始まった。「世界記憶リスト」はユネスコの世界記憶プロジェクト国際コンサルティング委員会によって評定され、六十六の国家委員会が参加する。二年ごとに一回選出して、各国家は二年ごとに二つの古典文献を申告することができる。二〇一七年末までに、一〇〇以上の国家の三〇〇以上の文献と文集が入選した。その中でマルクスとエンゲルスが共著した『共産党宣言』の原稿とマルクスの『資本論』第一巻の自注書が二〇一三年に『世界記憶リスト』に登録された。この二つの著作が「世界記憶リスト」に登録された理由は、それらが世界を変えたからである。

(二) マルクス主義は道義の頂点を占めており、立ちふさがることのできない威力を持っているマルクス主義は人類解放の頂点を占め、人類解放の崇高な価値を強調している。マルクスは人類解放が最も完全で、最も徹底的で、最も全面的で、最も完全な解放だと考える。この解放は、人間の物に対する依存、商品に対する依存から徹底的に抜け出し、他人に対する依存、支配階級に対する服従から抜け出し、すべての搾取階級と政治的圧迫を消滅させなければならない。マルクスの言うとおり「物の依存性を基礎とした人の独立性は、第二の大きな形であり、このような

(1) ホッブスバウム『資本の年代 一八四八―一八七五』、張暁華訳、北京、中信出版社、2014年、307頁。

形でこそ、普遍的な社会物質の変換、全面的な関係、多面的な需要及び全面的な能力の体系が形成される。個人の全面的な発展と彼らの共通、社会の生産能力は彼らの社会的財産に属するという基礎に基づいた自由な個性となり、これは第三段階である。第二段階では第三段階のための条件を作る」[1]。この解放は人類を旧式の分業、一方的な発展の状態、精神的な束縛から解放し、人々の自由、自分自身の発展に適した精神を育てる。この解放は発展の過程により徐々に労農の差別、都市と農村の格差、肉体労働と頭脳労働の違いを解消し、国家を次第に消滅させ、最終的に全人類を徹底的に解放させる。マルクス主義は人民解放を実現し、人民の利益を守る立場を堅持しながら、人の自由と全面的な発展、全人類解放を使命とし、人類の理想的な社会への憧れを反映している。マルクスは生涯そのために奮闘し、大きな犠牲を払った。高尚な人々は涙を流した。フランスの学者であるヤック・アトリーは『カール・マルクス』の末尾に「今後数世代の人々は亡命途中のカール・マルクスを懐かしがるだろう。ロンドンのこの上ない苦難の歳月の中で、彼は子供たちのために死ぬのがつらかった。しかし依然として夢を持っており、人間性がより美しくなることを望んでいる。彼らはマルクスの世界精神とその主な内容に改めて言及する。この人は人々のすべての期待を持つに値する」と感慨深く記した[2]。

（1）マルクス、エンゲルス『マルクス・エンゲルス文集』第8巻、北京、人民出版社、2009年、52頁。
（2）ジャック・アタリ『カール・マルクス』、劉成富など訳、上海、上海人民出版社、2010年、32頁。

マルクス主義はプロレタリア階級解放の頂点を占めており、人類解放という崇高な目標の実現はプロレタリア階級を根本とすることを強調している。マルクス主義前及び同時代の他の思想家たちも人類解放の問題について言及しているが、彼らの人類解放思想は空想であり、彼らはこの解放を実現する道が見つからない為、あくまでそれは「天国」という幻想になる。マルクス主義の人類解放が科学的であるのは、マルクスがプロレタリア階級の発展が強大であることを主張してきたからである。プロレタリアは全人類を解放してこそ、自分を解放することができる。一八四三年の『ヘーゲル法哲学批判』の中で、マルクスはすでにプロレタリア階級が人類解放の役割を果たしていることを発見した。彼は、プロレタリア階級は鎖をはめられた階級、そして大工業の発展による階級であり、また社会の急激な解体、特に中間等級の解体によって生み出された階級であり、人類の普遍的な苦難を受けていると強調した。大工業の発展は日々強大になるため、この階級は古い世界を解体し、人類解放のために条件を作ることができる。マルクスは「プロレタリア階級は私有財産を否定することを要求している。社会をプロレタリア階級の原則に昇格させただけのもので、プロレタリア階級の協力なしにすでに社会の否定結果として現れたものを社会の原則に昇格させるべきだ」と指摘した。(1) マルクスはまた、プロレタリア階級の解放は抑圧された民族解放の条件であると強調した。一八四七年十一月二十九日、彼はロンドンで開催

(1) マルクス、エンゲルス『マルクスエンゲルス文集』第1巻、北京、人民出版社、2009年、17頁。

された一八三〇年ポーランド蜂起十七周年国際大会において、「だから、プロレタリア階級はブルジョア階級の勝利と同時に、すべての被圧迫民族に解放のサインを与えたのだ」と指摘している。(1)

マルクス主義は道義的な最高点を占めている。それによって様々な進歩力を人類の進歩を推進する旗の下に集め、絶えずあらゆる弊害を突破し、人類の明るい未来に向かって前進することが可能となる。マルクス、エンゲルスが百七十年以上前に発表した「共産党宣言」は真理性と道義性を密接に結びつけた著作であり、崇高な道義的価値を強力な真理の中に融け込ませ、歴史の発展に深い影響を与えた。二十世紀三十年代には、イタリアひいてはヨーロッパの有名な反ファシズム知識人であるカロ・ロサリが一九二八―一九二九年に書かれた「自由社会主義」の中で、「共産党宣言」は歴史上最も有力な小冊子の一つであると指摘している。ロサリは「彼（マルクス）はあなたを魅惑的な弁証法に陥らせて、しっかりとあなたをコントロールし、彼は復讐の女神のようような宣言であなたの思想を震え上がらせる」と主張した。ロサリはまた、「共産党宣言」の中で「マルクスは復讐の女神の言葉で話している。それは彼が資本主義の搾取体系に対して行った意図的、冷酷非情な分析よりも生き生きとしている。最後に避けられない災難の見通しで終わり、そこから現れたのは自由と平等な人の社会、つまり社会主義社会だ」と強調した。(2) 続いて、ロサリは四

(1) マルクス、エンゲルス『マルクスエンゲルス選集』第1巻（第3版）、北京、人民出版社、２０１２年、３１４頁。

(2) 羅塞利『自由社会主義』、陳高華訳、長春、吉林出版集団、２００８年、１０６頁。

つの感嘆符を利用してマルクス主義の衝撃性を説明した。彼は「これは理性という名のロマンチックな夢だ！正義と科学が同盟を結んだが（中略）実際に科学は正義そのものになった！なんと魅力的なものだろう！人々はどうしてそれに反抗できたものだろう！」と主張した。マルクス主義は強大な道義の力、そして歴史の発展と進歩の流れと人類の要求に合致する力であり、いかなる力も防ぎ止めることができない。

㈢　マルクス主義の世界観は物事を認識する偉大な道具であり、世界を観察し、未来をつかむ力を持つ

マルクス主義の世界観は偉大な認識手段として、客観的な法則を把握する顕微鏡だと言われている。習近平総書記は二〇一六年の哲学社会科学工作座談会での演説で、「マルクス主義は物事の本質、内在的な関係と発展の法則を明らかにした、『物事を認識する偉大な道具』であり、人々が世界を観察し、問題を分析する有力な思想兵器である」と指摘した。[1] マルクス主義、特にその世界観は、人類社会の発展の法則を明らかにしている。二〇一三年十二月三日、習近平総書記は中共第十八期中央委員会政治局第十一回集団学習会にて、「マルクス主義の哲学は客観世界、特に人類社会の発展一般法則を深く明らかにした。これは今の時代においても強大な生命力を有し、依然として中共党員の前進を導く強力な思想兵器である。革命、建設、改革の各歴史時期におい

（1）　習近平「哲学社会科学工作座談会での講演」、人民日報、2016年6月5日。

て、中共はマルクス主義の歴史唯物主義を運用し、システム的、具体的、歴史的に中国社会の運動と発展法則の分析、世界の認識、社会改造の過程における規則を把握し、積極的に規律を運用することで、中共と中国人民の事業を推進してもう一つの勝利を収めた。弁証法的唯物論は自然界、人類社会、人類の思想発展の普遍的な法則を明らかにした。例えば、品質の互変則、対立の統一法則、否定の否定法則などである。歴史の唯物論は人類社会形態が低級から高級まで、原始社会から奴隷社会、封建社会、資本主義社会まで、更に社会主義社会の変遷法則を明らかにした。マルクスの科学社会主義はプロレタリア解放の条件と闘争法則に関する学説であり、社会主義の革命と建設の法則を把握する理論であり、これは画期的な発見である。日本共産党の不破哲三・元委員長が二〇〇九年に出版した『マルクスは生きている』で述べているように、マルクスの歴史的唯物論は当時の歴史観、社会観を衝撃し、人々の耳目を一新させ、社会発展の法則を解明する道を切り開いた。社会に対するこれらの認識については、マルクスが上記のような観点を示した時代では、社会の主流意識を覆す画期的な意義があった。百六十年後の今日では、もはや社会の常識となり、当然の観点と言えるだろう[1]」と指摘した。マルクス主義が明らかにした社会発展の法則は人々の社会に対する認識を変えた。マルクスの政治経済学は資本主義経済運動の法則を明らかにする学説である。『資本論』において、マルクスは多くの法則を明らかにした。例えば、

（1）不破哲三『マルクスはまだ生きている』、北京、中共中央党学校出版社、２０１７年、30頁。

剰余価値の生産について言及した際、マルクスは「機械が同じ生産部門で一般的に使われるにつれて、機械製品の社会価値はその個別価値の水準に下がってゆく。そのため、残りの価値は資本家用の機械に取って代わる労働力ではなく、むしろ資本家によって雇われた機械を使う労働力に由来する、といった法則が発生する」と指摘した。[1]労働力の価値と残存価値の変化について言及した際、マルクスは三つの法則を指摘した。第一に、労働生産性、或いは製品量と単一商品の価格がどのように変化しても、一定の長さの稼働日は常に同じ価値の製品として表れる。第二に、労働力の価値と残存価値は反対方向に変化する。第三に、残存価値の増加または減少はあくまでも労働力の価値の減少または増加の結果であり、決してこの減少または増加の原因ではない。[2]マルクスの掲示したこれらの経済法則は資本主義社会の中で粘り強い作用を発揮しており、資本主義には短周期の経済危機だけではなく、中周期、長周期の経済危機もまだ存在している。だからこそ、資本主義が経済危機に出現すれば、多くの人がマルクスに問題解決の答えを求めるようになる。マルクスは経済発展の法則から出発し、資本の集中と資本主義の寡頭化に向かう見通しを提示した。ドイツの「商報」は二〇一七年四月十三日にブラックマンの「『資本論』とその残存価値」を発表し、「一八六七年前の経済構造はまだ小企業を主な特徴としていたが、マルクスは

（1）マルクス、エンゲルス『マルクスエンゲルス文集』第5巻、北京、人民出版社、2009年、468頁。
（2）同上書、594―596頁。

資本主義が寡占に向かっていると予想した。その後の発展は彼の話を裏付けた」「チューリッヒ連邦理工大学の研究者は二〇一一年に結論を出した。そのうちの一つは一四七しかない（その多くは金融財団）企業が株式を通じて多国籍企業の価値の四〇％をコントロールしてきたグループであるということだ。今のところ、この集中度はもっと高まる可能性がある。これは、アダム・スミスの自由市場経済とはあまり似ておらず、むしろカール・マルクスが予見した資本主義権力経済のようである」と指摘した。[1]このような予測が正確なのは、魔術ではなく、彼が資本主義経済発展の法則を深く認識しているからだ。

マルクス主義の世界観は物事を認識する偉大な道具であり、未来の発展の論理と流れを把握する望遠鏡と言うことが出来るだろう。物事の発展はさまざまな複雑な変化の総和から構成されており、マルクス主義はすべての変化を明らかにすることはできないが、これらの変化の法則を発見し、主要な基本面でこれらの変化と歴史発展の客観的な論理を指摘することができる。なぜかというと、マルクス主義は階級関係の変化を科学的に捉え、歴史の主導力の変化をつかむことができるからである。マルクスが一八五一年から一八五二年三月まで書いた「ルイ・ポラパーの霧月十八日」は彼の歴史の流れを把握する能力を体現している。エンゲルスが一八八五年に書いた第三版の序言で「彼（マルクス）が事変の起ったばかりの時から、事変に対してこれほど透徹し

(1) ブラックマン「『資本論』とその剰余価値」、参考消息、２０１７年４月23日。

た洞察をもっていたのは、確かに比類がない」と指摘した。例えば、マルクスは「皇帝の服がルイ・ポラバーに落ちたら、ナポレオンの銅像がワンドムの円柱の上から倒れる」と予測した[1]。事実一八五二年十二月二日、元老院は帝制の復活を宣言し、ルイ・ナポレオン・ボナパルはフランスの皇帝となり、この二十年後、一八七一年四月十二日、パリ公社委員会はワンドム円柱の撤去を命じ、五月十六日午後に解体式が行われた。マルクスの言論は科学的な見識である。こうした、マルクス主義の未来の社会発展の流れに対する科学的な予測は、いかなる学派あるいは思潮でもこうしたレベルに達することはできない。ヤック・アトリーの言葉通り「我々が生きる今日は、マルクスの理論では彼がとっくに予想していたグローバル化の枠組みの中であり、マルクス思想は依然として尋常ではない意義を持っている。実際資本主義の拡散、伝統社会の激変、個人主義思潮の上昇、第三世界の絶対貧困化、そして資本の集中、工場の低コスト労働力地域への移転、商品化の傾向、不安定な状況の頻繁な出現、また商品への依存、単一産業による富、不安定リスク防止を目的とした金融業界の急増など、すべてのことをマルクスは予測している」[2]。こうした見解は他の人の見解ではなく、一時的な見解でもなく、長期的かつ普遍的な見解である。イギリスのウェストミンスター大学伝播とメディア研究センターの学者クリスティーアン・フォックス

（1）マルクス、エンゲルス『マルクスエンゲルス選集』第2巻（第3版）、北京、人民出版社、２０１２年、６６４頁。
（2）ジャック・アタリ『カール・マルクス』、劉成富など訳、上海、上海人民出版社、２０１０年、３３０―３３１頁。

は『資本と階級』二〇一七年第四十一巻第一号にて「情報の時代にマルクスの『資本論』を読み返す」という文章を発表し、「マルクスは電報が貿易、生産、社会のグローバル化にて含まれる意義を議論したことがある。彼は現代社会の技術を研究する最初の哲学者と社会学者だ。知識労働の役割と情報社会の台頭を予見している。(中略)SNSの社会性とは何かを理解したいならば、マルクスを読むことは大いに役に立つ」と指摘した。[1] マルクスは十九世紀だけでなく、二十世紀に属し、二十一世紀に属している。ホブスバウムが言ったように、「つまり、二十世紀に消すことのできない痕跡を残した思想家というなら、それはマルクスである」「しかし、今日、マルクスは再び二十一世紀の思想家となった」[2]。マルクスはすでに深く人類の三つの世紀の発展に影響を与えている。また今後もさらに広い範囲で人類社会の発展に影響を与えるだろう。

（1）フォックス「情報の時代にマルクスの『資本論』を読み返す」、曲軒訳、国外理論動態、２０１７年。
（2）呂増奎『どのように世界を変えるか？マルクスとマルクス主義の伝奇』、北京、中央編訳出版社、２０１４年、４頁。

第四章　新時代の中国の特色ある社会主義の政治優勢

中共十九大報告によると、中国の特色ある社会主義の政治発展の道は、近代以来、中国人民が長期的に奮闘してきた歴史的論理、理論的論理、実践的論理の必然的な結果であり、中共の本質的属性を堅持し、中共の根本的な宗旨を実行するための必然的な要求である。この報告はまた完全な自信を持って、中国の社会主義民主政治の優位性と特徴を十分に発揮し、人類の政治文明の進歩のために中国の知恵に満ちた貢献をすることを強調した。この自信はどこから来るのか？それは新時代の中国の特色ある社会主義からの政治的な優位性である。

一　新時代の中国の特色ある社会主義の政治は制度の民主性と有効性を実現し、政治制度に国家の長期的な安定を保証させた

一国家における政治制度が民主的であるかどうかを判断する重要な基準は、制度下で権力の引

継ぎが法律に基づいて秩序化されているかどうかである。習近平総書記は、「国家の指導部が法に基づいて秩序よく機能するかどうかは、全体の人民が法に基づいて国家事務と社会事務を管理し、経済と文化事業を管理するかどうか、また人民大衆が利益要求を表現できるかどうか、社会の各方面が効果的に国家の政治生活に参与できるかどうか、そして国家の政策決定は科学化、民主化を実現できるかどうか、各方面の人材が公平競争を通じて国家の指導と管理に入るかどうかである。他にも政府・与党は、憲法・法律の規定に基づいて国の事務に対する指導を実現するかどうか、権力の運用に有効な制約と監督を得ることができるかどうか、などが挙げられる。[1]新中国が成立して以来、中国が行っている指導機関と指導部の交替は穏やかで秩序正しいものである。以前の指導部は権力を次世代の指導部に順調に引き継いでおり、毎回の引継ぎは経済社会の発展により穏やかな政治保証をもたらしている。したがって、習近平総書記は「長期的な努力を経て、これらの重点問題を解決する上で決定的な進展を遂げた。私たちは実際に存在する指導幹部の職務終身制を廃止し、指導幹部の任期制度を全面的に実行し、国家機関と指導部の秩序ある交替を実現した」と明確に指摘した。

中共はなぜ順調にこの引継ぎを完成できるのだろうか?そこで最も根本にあるのは、中共が自身の特殊な利益を持たないマルクス主義政党であるという点だ。中共には中国人民の利益と対立

（1）　習近平「全国人民代表大会成立六十周年を祝う大会での演説」、人民日報、2014年9月6日。

する党派の私利はなく、中共の利益は中国人民の利益である。中国人民が選択した各中央指導部はすべて中国人民の利益の真の代表者であり、中国人民の意志の産物である。毛沢東は中国に属し、世界にも属しているのだ。彼は中共・中国各民族人民の敬愛と敬慕を勝ち取った。また、中共の第二世代中央指導部の核心として、鄧小平の生涯では、要職にあろうと、苦しい立場にあろうと、いつも人民大衆と苦楽を共にし、中共と中国のために困難を解決しようと努力してきた。江沢民は中共の第三世代中央指導部の核心であり、彼はいつも中共と中国人民を心の最高位置に置いていた。彼は大衆を尊重し、大衆に関心を持っていた。胡錦濤はマルクス主義政治家の遠見と卓識を持ち、中共中央指導部と中共全体党員にしっかりと依存し、発展の継続は中国人民のために、発展は中国人民に依存し、発展の成果は中国人民に共有され、中国の特色ある社会主義を継続し発展させるためにすばらしい貢献を行った。「人民」を「心の中の最高の位置」に置く、これは中国人民の指導者である習近平の鮮明な政権の理念であり、彼は「歴史は人民が作り上げたもので、すべての業績は人民のおかげである。我々が深く人民に根を下ろし、しっかりと人民に頼る限り、無限の力を獲得し、風雨にもめげず勇敢に前進することができる」と述べている。

この七十年余りの歴史を見ても、このようなことができる国はあまりない。多くの国における権力の引継ぎは、毎回大きなリスクがあり、社会経済の発展に大きな衝撃を与える。七十年余りの間に、多くの国家で権力の引継ぎにまつわるトラブルが絶えず発生し、様々な破断現象が現れた。一九六〇年から一九六六年まで、不完全統計によると、アジア・アフリカ・ラテン地区の一部の資本主義国家の中では、前後六十一回の政変が発生し、五十六回成功した。そのうち首脳が殺害されたのは八回、操り人形となってしまったのは七回、廃伐したのは十一回であった。トルコでは一九二三年に共和国が成立してから二十世紀九十年代末まで、軍隊が一九六〇年と一九八〇年に直接権力を獲得しているが、一九七一年と一九九七年にそれぞれ当時の総理デミレル、エルバカンに辞任が迫られている。二〇一一年二月には、外部勢力の干渉によって、「アラブの春」がリビアに波及し、首都トリポリや第二の都市ベンガジなどでカダフィ大佐に反対する大規模なデモが勃発し、カダフィ大佐政権を倒し、カダフィ大佐が殺害され、リビアでは十年近くも続いた。リビアで「我々の国はアラブ首長国連邦になると思っていたが、ソマリアになるとは思いもしなかった」という有名な言葉がある。リビアの人々の生活水準は十年以上も後退し続けた。二〇一四年六月、ウクライナの億万長者ピーター・バルシェコは五月二十五日に行われた大統領選挙でウクライナ大統領に当選した。そして間もなく東部で戦争が起こり、ドネツィク、ルハンシクは共和国として独立を宣言した。ロシアの衛星網二〇一五年一月二十七日の報道によると、国連人権事務所の広報担当者、ルパート・コルビル氏は記者会見で、ウクライナの衝突で五一八七人が死亡し、一万二一二五人が負傷したという。一方、ヨーロッパ安全保障協力機構（OSCE）によると、衝突は半年余りで、約一〇〇万人が難民に転落したという。さらに複雑なのは、二〇一四年二月の初め、ロシアはクリミア自治共和国のアクショノフ首相の支援要請に応えて、クリミアに部隊を派遣し、三月十六日の国民投票の中で、九五％以上の民衆がロシアに編入することを要求した。これらの問題の原因は党派の私利の存在、複数の政治埠頭の存在、利益集団が国家権力を自分の個人埠頭と見なし、「埠頭政治」と「埠頭文化」を形成しているからである。

中共は常に最も広範な人民の根本的利益を代表する政党であり、常に党の先進性と純潔性を強調し、党内に政治利益集団と「圏子（個人の利益のため互いに利用し合う集団）文化」「埠頭文化」の形成を防ぐことを強調している。一方、中共は党利党略を持たない政党であり、党内の利益集団形成を断固として防止していると強調している。ある時期では、党内でも「埠頭文化」という表現が存在した。党組織をそれぞれの用をたすのに必要な「大売場（量販店）」として、自分で行う「私的クラブ」は、所在地と分管分野を「独立王国」「個人的領地」とし、同志関係を異化させ、「小山頭」、小グループ、小チームを作っていた。中共は十八大以来全面的に厳しく治め、これらの現象は効果的に一掃された。一方、中共は共産党人の価値観を大いに発揚させた。中共十九大報告書では、「忠誠、公正、実事求是、清廉潔白などの価値観が発揚され、個人主義、分散主義、自由主義、本位主義、善玉主義、そして宗派主義、グループ文化、埠頭文化を断固として防止・反対し、両面派を作ることを反対する」と明確に指摘されている。

二　新時代の中国の特色ある社会主義の政治は民主の真実性を実現し、民主の形式主義を防ぐ

単一投票とは、すべての重要事項を投票用紙で決めることである。ここにおける投票用紙は唯

一の決定的な要素となる。投票者は投票用紙に指紋を押して「✔」または「✘」を記入し、投票箱に投じて、重大なことを決める。これはまるで政治が指一本で決められているようである。このような単一投票の政治には三つの問題がある。一つ目は、投票者が他の有権者の影響を受けやすい為、知人に便乗して投票するなどといった問題が発生しやすいという点だ。こうした投票では「低能児」が選出されやすい。あるいは非理性者が選ばれ、国家を混乱に導くといった可能性もある。二つ目は、党派の利益の影響を受けやすいという点だ。梁漱溟の父である梁済氏は『伏卵録』の中で、民国初年の各党が前門駅で次々と党の招待所を設け、彼らが汽車を降りる議員を招くために招待所に住みつき、国会で票を得ようとしている様は、まるで「遊女の客引き」のようだと指摘している。しかし実際には、A党やB党の招待所に相次いで入った議員たちが、A党やB党のお金を貰い、最後はC党に投票するといった現象が起きた。C党が与えた価格が一番高いからだ。三つ目は、社会的な共通認識が弱まり、社会的に大きな溝ができるという点だ。二〇〇一年二月に議会選挙を通じて、成立したばかりのタイの愛タイ党が多数の議席を獲得し、タクシン・チナワットがタイ政府の総理に就任したが、二〇〇五年に再選され、二〇〇六年九月にクーデターで失脚した。二〇〇六年以来、タイでは相次いでタクシン、シャマ、マーチ、アピシット、インラ、バユといった六人の総理が就任した。彼らは民主的な手段を経て舞台に上がり、全員が「民主」を理由に舞台を降ろされている。二〇〇六年以来、タクシンを擁護してきた赤シャツ隊とタクシンに反対していた黄シャツ隊は民主を名目に戦っており、国全体が苦境に立たされた。二〇〇九年四月十一日、タイのアピシット首相の退陣を要求した赤シャツ軍は、軍と武力衝突したばかりでなく、総理秘書長も押収した。党組織に反対する数十万の抵抗者が群衆を取り囲み、会場に突入した。タイ政府は、当日開催予定のアセアンと対話国の首脳会議をキャンセルすると発表し、すでに会議を準備していた各国の指導者はタイの指導者の謝罪の声でタイを離れることとなった。国際社会の世論は、このような民主主義は国家に恥をかかせると指摘している。タイは競争性民主を実行したことで、西洋の一部の国に「民主の見本」と標榜された。しかし、人々が見ているのは、一つのグループが選挙に勝ち、もう一つのグループは「民主」という旗印を掲げて支持者を動員し、デモや包囲攻撃などによって法治と社会秩序を破壊する方式で倒閣闘争を起こし、選挙結果を尊重しない。そして闘われた側は同じ手段で戦い続けるが、結局は経済社会が長期的に停滞しているといった惨状であった。

新時代の中国の特色ある社会主義の政治は複数の面から単一投票で選ぶ政治の落とし穴を超えている。一つ目に、中国の特色ある社会主義の根本政治制度の制定から、中国人民の意志が単一投票で政治の罠に落ちないことが保証された。人民代表大会制度は中国全国人民の意志を集中することが可能なのである。この制度は選挙の優位性を表すだけでなく、単一投票の弊害も避けられる。人民代表大会制度が強大な生命力と顕著な優越性を持っているのは、それが中国人民の中に深く根付いているからであり、中国二百六十万人以上の各級人民代表大会の代表者は、すべて中国人民の利益と意志を忠実に代表し、法により中国人民を代表して国家権力を行使し、中国人民に奉仕しなければならない。中国は人民が人民代表大会を通じて国家権力を行使することを堅持し、各級人民代表は民主選挙によって選出され、人民に対して責任を負い、人民の監督を受ける。各級の国家行政機関、監察機関、裁判機関、検察機関はすべて人民代表大会から発生し、人民代表大会に対して責任を負い、人民代表大会の監督を受ける。国家機関は政策決定権、執行権、監督権を実行し、合理的かつ相互に調和しながら取り組む制度に則り、それによって公立良く人民の利益を実現することが可能となった。二つ目に、社会主義民主政治の偉大な実践は、単一投票政治による社会分裂が起こらないことを保証している。社会主義民主政治の本質は中共の指導、人民が主人公となり、法に基づいて国を治める三つの者が有機的に統一することである。中共の指導は人民を主人公とした、法により国を治める根本的な保証である。人民が主人公となるのは社会主義民主政治の本質的な特徴であり、法により国を治めるのは中共が中国人民を指導して国を治める基本的な方法である。中共は常に時代の先端に立ち、中国の特色ある社会主義政治発展の法則を科学的に把握し、政治文明の発展の大勢に順応し、政治発展の中の落とし穴を発見、認識することができる。中共は常に広範な人民大衆の根本的利益を代表しており、教育・労働・医療・養老・住居・生活保護といった面で絶えず新たな進展を遂げ、広範な人民大衆に切実な利益をもたらし、終始人民の心から支持されている。三つ目に、中国は民主を絶えず拡大し、様々な形式で人民に民主の権利をもたらした。民主制度を健全化し、民主形式を豊かにし、民主ルートを広げ、各階層・各分野から公民の秩序ある政治参加を拡大し、より広範、より完全、より健全な人民民主を発展させる。社会主義民主政治は、人民が法に基づいて民主選挙を十分実行することを保証するとともに、人民が法に基づいて民主の政策決定、民主の管理、民主の監督を行うことを保証し、選挙時に約束された公約が、選挙後に実現されないといった現象を確実に防いだ。人民は民主の実践の下、民主の手順に従って投票することを習得しただけでなく、民主の精神の本質を認識し、民主の投票を行う時は適当に投票することなく、しっかり考えた上で自分の神聖な一票を投じることができるようになった。こうした投票は社会主義民主政治の本質的な要求であり、国民一人一人に対する要求である。

三　新時代の中国の特色ある社会主義の政治が中国経済の持続的な安定、高効率かつ快速な発展をもたらし、社会主義の政治制度と政党制度に対する民衆の共感を大いに強める

「街頭政治」はその名の通り、街頭に出て、様々な反政府デモを行い、政府に圧力をかけ、政府を退陣させたり、制定された政策を変えさせたりするものである。習近平総書記は「西側諸国が『カラー革命』（色の革命）を行う方法の一つは、民衆を扇動して『街頭政治』をすることである」と指摘した。彼は二〇一五年五月十八日の中央統戦工作会議での演説で、「西洋国家は『カラー革命』を画策している。相手の国の政治制度、特に政党制度から困難を引き起こし、世論を大いに宣伝し、彼らとは違った政治制度や政党制度を別種にして、民衆を街頭政治に動員してい

る。今の世界では、イデオロギーの分野では硝煙の見えない戦争がどこにもなく、政治分野では銃砲のない戦いが続いている」と話した。[1]「街頭政治」の出現は往々にして国外勢力の介入があり、西洋国家は目標国の民衆に政治宣伝を行い、目標国の政治と政党制度を非難し、全ての問題を政治制度と政党制度の後れのせいにする。「街頭政治」の出現の国内的要因は、ナショナリズムの氾濫で、社会が「中所得国の罠」に陥り、社会集団が引き裂かれ、様々な民族の社会的勢力が現れ、社会的利益と観念の衝突が生じる。二〇一五年十二月十八日、習近平総書記は中央経済工作会議での演説で『「中所得国の罠」に陥らないようにする』と話した。国際的、特にラテンアメリカの教訓は、「中所得国の罠」の根源であることを示している。これには政治の盲目的に民主化により意見が入り乱れることで、力が集中しない、そして過剰な福祉化、過度の公約で国民の歓心を買うという二つの特徴がある。その結果、効率の低下、成長の停滞、インフレにつながった」と指摘した。[2]二〇一八年六月二十一日、習近平総書記は釣魚台国賓館で「グローバル首席執行官（CEO）委員会」特別円卓サミットに出席した有名な多国籍企業の責任者と会見し、彼らとの座談交流時に「二〇一七年以来、世界経済は安定志向が現れているが、世界経済の成長は依然として力がない。貿易保護主義、孤立主義、民主主義などの思潮が絶えず頭をもたげ、世界平

（1）中共中央文献研究室『習近平の社会主義政治建設に関する論述の抜粋』、北京、中央文献出版社、2017年、18頁。
（2）同上書、38頁。

和と発展に直面する挑戦はますます厳しくなっている」と指摘した。(1)中国で他国に存在するナショナリズムが現れていないのは、社会主義民主政治の発展によって、ポピュリズムが居場所を失ってしまったからだ。

社会主義民主政治の完備は中国経済の持続的な安定、高効率で急速な発展、中所得層の拡大をもたらし、こうした拡大は広範な民衆の社会主義政治制度と政党制度に対する共感を大いに高める。中国の特色ある社会主義は中所得層の割合を上げることを強調し続けてきた。中共十九大報告によると、二〇三五年までに中国が基本的に現代化を実現した時、人民の生活はより豊かで、中所得層の割合は明らかに高くなり、都市と農村地域の発展格差と住民の生活水準の格差は著しく縮小され、基本的な公共サービスの均等化も実現され、全人民が共に豊かになるための一歩を踏み出すといった見込みである。中所得層の割合が高くなることは、政治の発展をより理性的に安定させることに繋がる。習近平総書記は二〇一六年五月十六日、中央財経指導グループ第十三回会議での演説で、「中所得層は経済発展の安定した受益者として、社会秩序と主流価値観に対する共感が強く、理性的かつ実務的で、既定の社会秩序が破壊されることに期待していない」と指摘し、続いて「社会の調和と安定を維持し、国家の長期安定を維持し、低収入層の比重を徐々

(1) 「習近平主席、グローバル首席執行官（ＣＥＯ）委員会特別円卓サミットに出席する外国側代表と会見」、人民日報、２０１８年６月22日。

に減少させなければならない。中所得層の比重を拡大する……」と述べた[1]。

社会主義民主政治の健全化は民衆の意見を常に政治的決定に吸い寄せていく過程であり、民意が体制の内化を実現できずに「街頭政治」になることを防止した。中国は国家のすべての権力が人民に属すること、人民代表大会制度、人民が法に基づいて民主選挙を実行すること、人民が選挙後、より十分な民主の権利を享受できることを保証する。中国は社会主義の協商民主を継続し発展させ、広範に大衆が各階層の管理と管理に参与するメカニズムを形成し、大衆が国家の政治と社会管理の中で表現できない、参与しにくいといった現象の効果的な克服を実現する。中国は基層的な大衆の自治制度を継続し、充実させ、基層的な民主を発展させ、人民が法に基づいて直接民主的権利を行使することを保障し、形式上は権利があるが、実際は権利がないといった現象が現れることを確実に防ぎ、人民は基層管理の各段階で自分の政治権力を行使することができるようにする。

四　新時代の中国の特色ある社会主義の政治は本質的には人民が主人公となる政治であり、利益集団の存在に断固反対する政治である

西側の多党政治は各党の私利の基礎の上に築かれたもので、各党は選挙の過程、あるいは与

（1）中共中央文献研究室『習近平の社会主義社会建設に関する論述の抜粋』、北京、中央文献出版社、２０１７年、40―41頁。

党執政の過程においても、自分の党派の私利を最優先にする為、様々な政治闘争が発生し、議会暴力と「拳の政治」が現れ、意見の食い違いが多発する。韓国の国会は有名な「闘技場」で、二〇一一年に与党が「韓米自由貿易協定」の採決を強行しようとしたが、野党の金氏は法案を阻止するため、催涙弾を持って会場に駆け込み、議長席の前で爆発させ、現場に煙を立て、議員達を苦しめた。

二〇一四年にインドで開催された「インド人民院」大会では、党派間の意見差が激化し、インドの議員が持っていたナイフが他の議員を刺した。二〇一五年三月三日、ウクライナ議会では急進党の指導者リヤシュカと元党員、当時「アダール」経営指導者だったメリーニー・キューク氏が殴り合いのけんかをし、当日の残りの議題が中断された。グライマン議長は全体会議で「武力で問題を解決したいなら、三階にボクシング場を設立するつもりだ」と述べていた。

「拳の政治」の本質は利益集団のゲームである。ブルジョア社会の政治は本質的に利益集団政治である。広範な大衆が政権を奪取することを防止する面で共通の利益がある以外、各利益集団は互いに分裂している為、これでは「拳の政治」の伏線を埋めたも同然である。まず、政党の利益の衝突は様々の「拳の政治」の土壌を生み出す。そして多党制国家の共通の問題点は異なった政党が順番に舞台に上がり、互いを否定することである。二〇一七年一月にアメリカ大統領に就任すると宣誓したトランプは、オバマ氏の八年間の政治遺産をほぼ否定た。二〇一〇年三月にオバマ氏が医療保険改革法案に署名したが、トランプ氏は就任初日にこれを廃止した。二〇一五年十月にオバマ氏がＴＰＰへの加入を発表したが、トランプ氏は就任の一週間目に脱退を宣言した。二〇一五年十二月にオバマ氏はアメリカがパリ協定（気候変動問題に関する国際的な枠組み）に加入すると宣言し、二〇一七年六月にトランプが脱退を宣言した。二〇一五年七月にアメリカ、キューバは外交関係の回復を宣言したが、二〇一七年六月にトランプはキューバに対する政策の引き締めを宣言した。二〇一五年七月にオバマ氏はイラク核契約に署名したが、二〇一八年五月にトランプ氏はこの協議を終了すると発表した。オバマ氏が八年間、納税者の多くのお金を使った政策を打ち消した。こうした政党闘争は結局は広大な民衆の利益を損なうのである。エンゲルスは一八九一年に「アメリカこそ、他のどの国に比べても、『政治家たち』が国民の中で特殊な権勢を持つ部分を構成している。この国では、交代で政権を組む二大政党の中の各政党が、このような人たちによって操られている。彼らは政治をビジネスに変え、連邦議会と各州議会の議席を投機したり、利益を得たり、党の勝利後に職を報酬として獲得したりする。アメリカ人はここ三十年間、あらゆる手を尽くしてこうした束縛から脱出しようとしているが、実際は二つの政治投機家のグループが交替で政権を握り、最も汚い手段で汚い目的を達成する」「彼らは表面上では国民の為に奉仕しているように見せかけて、実際は国民に対し統治と略奪を行っているだけなのだ」と指摘した。[1] 第二に、さまざまな「拳の政治」の機会を生み出す利益集団の衝突が挙げら

（1）マルクス、エンゲルス『マルクスエンゲルス文集』第3巻、北京、人民出版社、２００９年、１１０頁。

れる。多党制の国では、当選者のほとんどが億万長者、大富豪であり、彼らの代弁者となる。米国のトランプ現大統領は米国の不動産王で、ウクライナのポーロ・シェコ前大統領は「キャンディー王」、「チョコレート王」であった。政策を制定する際、各利益集団は自覚的に集団の利益を維持するため、他の利益集団と様々な矛盾が生じる。最後に、民衆の怒りを買い、「拳の政治」の条件を下準備することとなる。政党の賄賂であれ、利益集団の肥やしであれ、損害をこうむるのは必然的に民衆の利益となる。民衆の怒りは絶えず爆発し、この怒りは政治の舞台に広がり、議会討論に反映され、「拳の政治」は民衆の土壌となる。

中国の特色ある社会主義の民主政治は多方面から「拳の政治」の出現を避けてきた。まず、「拳の政治」の党派や利益集団の土壌を除去した。中国は多党制、議会制をしないで、更に政治利益集団の存在を許さない為、これは根本的に「拳の政治」の存在空間を一掃したこととなる。中国の特色ある社会主義民主政治は本質的には人民が主人公となる政治であり、利益集団の存在に断固反対する政治である。二〇一五年十月二十九日、習近平総書記は中共第十八期中央委員会第五回全体会議（五中全会）の第二回全体会議での演説の中で「全党同志、特に各級指導幹部は党章の規定をしっかりと覚えていなければならない。党は労働者階級と最も広範な人民大衆の利益を除いて、自身に特別な利益を持たない。自分の私利があれば、何でもできる。党内には様々な政治的利益集団が存在してはならず、党内外で互いに結託し、金銭の取引を行う政治的利益集団も存在してはならない。このような不法利益関係が党の政治生活に与える影響を防ぎ、一掃し、党の良好な政治生態を回復することは極めて重要であり、この取り組みはより早く、より徹底的に行えば行うほど良い」と述べた。(1) また、「拳の政治」は中国において民衆の基礎がない。中国では、広範な人民大衆の根本的利益が一致しており、仮に内部の矛盾が存在していたとしても、これらの矛盾が根本的な利益衝突を形成することはない。人民大衆の異なる利益は、各級人民代表大会を通じて効果的に反映され、かつ人民政府がよりよく解決するため、「拳の政治」という情緒的な雰囲気は形成されない。そして、中共は最も広範な人民大衆の利益を代表するプロレタリア政党であり、各方面を協調させ、様々な政治的要求を一つにまとめることができ、階層分裂の茶番劇、そして民族の隔たりといった悲劇も防止している。中共は中国の各事業の指導の核心なのだ。習近平総書記は、「中国の社会主義政治制度の優位性の特徴の一つは、中共が全体の局面を統括し、各党・政府・軍隊・人民・学校・東・西・南・北・中央、中共はその一切を指導している。方面の指導の中核的役割を調整することであり、イメージ的には『衆星が月をささげている』ようなものだ。ここにおける『月』は中共である。国家ガバナンスシステムといった大棋局において、中共中央は中軍帳（本陣）を率いる『帥』であり、車馬砲（中国将棋の強い駒）はそれぞれその長さを発揮し、局ごとの動きがはっきりしている。もし中国に各人が各人のやり方をやる、めい

（1）　中共中央規律検査委員会、中共中央文献研究室『党の規律と規矩の厳格化に関する習近平の論述の抜粋』、北京、中央文献出版社、2016年、30頁。

めいが勝手にふるまい（各自為政）、ばらばらになるといった問題が発生すれば、中国が確定した目標が実現できないだけでなく、必ず災難な結果となってしまうだろう」と話した。[1] 中軍帳の「帥」のもとで、各民族はザクロの種のようにしっかりと団結し、各階層の民衆は緊密に依存し、運命を繋がっているのだ。

五　新時代の中国の特色ある社会主義の政治はマルクス主義を指導とし、非理性的な政治行為を一掃することができる

いわゆる「不条理な政治」とは、政治行為が極めて情緒的で、ルールがなく、目的がなく、基本的な理性が欠けているということである。こうした政治現象は欧米の政治では近年際立っている。二〇一六年六月二十四日、イギリスの「脱欧」公投の結果が発表された後、多くの人が賛成票を投じたことを後悔し、住民が連署署名して請願し、英国議会に今回の公投の有効性を再考し、二次公投を呼びかけた。北京時間六月二十六日夜十一時現在、請願人数は三百二十五万人を超えてるが、いくら請願しても、「木はすでに船となり」、「脱欧」はすでに決まっている。二〇一六年六月から現在まで、時間はすでに三年半が経ち、英国はついに正式に「脱欧」した。これによ

（1）中共中央文献研究室『習近平の社会主義政治建設に関する論述の抜粋』、北京、中央文献出版社、2017年、31頁。

り、大量の社会的財産を消耗しただけでなく、国家の民衆間を引き裂くこととなった。英国が「脱欧」したことでEU三番目の経済大国となったイタリアは、二〇一八年三月に行われた議会選挙で、反体制・反EUの「五つ星運動」が得票率で最も高い単一政党となった。「五つ星運動」は元々イタリアのコメディアン、グリロが二〇〇九年に創立したもので、当初は一般の抗議者といった姿で登場していた団体である。インターネットとソーシャルメディアが彼らの宣伝の主な陣地で、様々な不条理な観点が彼らの宣伝文句の中に存在している。

なぜ人類が宇宙飛行し、さらに遠い星に飛んでいく時代に、西洋の国々はこんなにも多くの非理性的な政治行為をしたのだろうか？まず、西側の個人主義の長期的な発展が社会の理性を失わせ、社会の共通認識度が下がっているという原因が考えられる。これはロシアの偉大な現実主義作家ドストエフスキーが『カラマーゾフ兄弟』（一八七九年）に書いたロシアの十九世紀六十年代以降の社会状況に似ている。なぜお互いを隔絶するのか？同本では、「今は一人一人が力を尽くしてみんなに突出させて、生活の楽しみを満喫したいからだ。しかし結果は真逆であり、生活の楽しみを享受できず、むしろ自殺に徹している。人々が思うものが確立されていないばかりか、徹底的に人と隔絶した状態に陥っている。こうした分離は、すべての人がお互いに離れ、一人一人が自分の穴に潜り込み、外と隔絶していくものである」と書かれている。その次に、西側社会の人々はマルクセイルの「一方通行の人」に似てきて、「百年の孤独」といった特徴が現れる。「一方通行の人」、すなわち道具化された人とは、物質的欲望によって奴隷化され、精神的な需要がなく、自己を失い、魂を失い、自由を失った人である。これにより、マルコセイン氏は、資本主義の進歩の法則は、技術の進歩＝社会的財産の成長（社会総生産の増加）＝奴隷の強化にあるという結論を出した。このような状態は、一人一人が自分の政治の方向性だけを考え、高度な断片化の流れが現れることにより、おかしな政治の数々をもたらす。最後に、西洋社会の組織化のレベルはますます低くなり、「一人ボーリング現象」がますます普遍的になり、理性的なコンセンサスはますます少なくなっていった。

社会主義民主政治の発展はこのような荒唐無稽な政治を一掃した。まず、中共は人類の政治の理性を守る政党であり、一連の政治思想は人類の政治発展の客観的法則を反映しているだけでなく、人間の政治発展の理性と道徳の訴えを反映している。中共指導下の民主政治建設は政治法則を反映した政治の理性を前提としており、非理性的な政治的行為を継続的に一掃することができる。第二に、社会主義民主政治はマルクス主義を指導とする。マルクス主義は人類の思想の集大成者して、様々な非理性的な政治現象、政治意識及び政治行為を断固として反対し、政治的虚無主義、無政府主義などにも反対する。最後に、中国の特色ある社会主義民主政治の実践は民衆の政治行為をより理性的にする。一方で広範な人民大衆の政治的弁別能力を鍛え、非理性的な政治の表現と危害を識別し、自覚的にこの行為を抵抗させ、また広範な人民大衆の身近な利益をもたらし、最も直接的で、最も関心が高く、最も現実的である利益は、正常な民主的なルートを通じて実現できるため、「不条理な政治」は居場所がないのだ。

六　新時代の中国の特色ある社会主義の政治はネット政治を秩序正しく、社会主流イデオロギーを発展させる陣地に変えていく

中共はインターネット発展の大きな流れを深く洞察し、それを社会主義民主政治の発展の中に組み入れることを強調している。インターネットが資本に束縛されるのを防ぐとともに、「誰もがマイクを持っている」ことによる政治の断片化を防がなければならない。インターネットの急速な発展は民主政治の構築に新たなチャンスをもたらすと同時に、多くの挑戦をもたらした。まず、インターネットの発展は大衆による監督をより便利にした。二〇一六年四月十九日、習近平総書記は北京でインターネットの安全と情報化に関する座談会を開催し、重要な演説を発表した際、「インターネットの良好な生態を構築し、インターネットで世論を誘導し、民意を反映する役割を発揮させる」と指摘した。インターネットユーザーは民衆であり、民衆はインターネットを使うことで、民意がインターネットにたどり着くのだ。大衆が居る場所に我々の指導幹部たちが行き、「各級の政党機関と指導幹部はネットを通じて大衆路線を歩み、常にインターネットを利用し、大衆の考えを理解し、アイデアや提案を集め、インターネットユーザーの関心に積極的に応え、疑惑を解き、戸惑いを解消する。インターネットユーザーの大半は普通の大衆であるため、包容力と忍耐力が必要で、建設的な意見を適時に吸収し、困難に対しては直ちに助け、状況が理解されない場合は速やかに紹介し、曖昧な認識に対しては即時に排除し、不満に対しては即

時に解消し、誤った見方に対しては適切に指導、訂正し、インターネットを、大衆を理解し、大衆に接近し、大衆のために悩みを解決するといった大衆との交流のための新しいプラットフォームとし、人民の民主を発揚させ、人民の監督を受け入れる新たな道を開く」(1)。習近平総書記は「インターネット上の善意の批判と監督に対し、中共と政府の仕事に対して提起したものであろうと、指導幹部個人に対して提起したものであろうと、穏やかなものであろうと、苦言であろうと、私達は歓迎するだけではなく、真剣に研究し、吸収していく」と強調した。次に、インターネットの発展を見るには多くの問題がある。二〇一六年二月十九日、習近平総書記は中共の新聞世論工作座談会での演説で「ある人は今の中国には『二つの世論場がある』と指摘している。一つは党媒体の党刊（中国共産党各級組織の刊行物）党台（中央と地方のラジオ・テレビ）、通信社を主体とする伝統的なメディア世論場で、もう一つはインターネットをベースとした新しいメディア世論場だ。またある人は『資本を王とする資本メディア、商業メディアの時代で、誰もがマイクを持っているというメディアの時代であり、中共がメディアの管理を継続する意味はない』と主張している。しかしこうした見方は間違っている」と指摘した。

インターネットの発展、特にインターネット政治の発展は秩序正しくしなければならず、無秩序化が、或いは社会主義民主政治に反するといった現象が現れることは許されない。大衆がイン

（1）　習近平「インターネットの安全と情報化に関する座談会での講演」、人民日報、2016年4月26日。

ターネットに参加するのには匿名性があり、「誰でもマイクを持っており、誰でもカメラを持っている」為、誰もが放送者であり、誰もが批評することができる。しかし、いくら表現されようとも、「インターネット空間は現実社会と同じで、自由を提唱し、秩序を保持しなければならない。自由は秩序の目的であり、秩序は自由の保障なのだ。インターネット利用者が思想を交流し、意思を表現する権利を尊重し、法に基づいてネットの秩序を構築することは、多くのインターネットユーザーの合法的な権利を保障することに役立つ。インターネット空間は『法外の地』ではない」(1)。特に、二〇二〇初頭以来の新型コロナウィルス流行におけるインターネット上のデマについては、直ちに明らかにする必要がある。

七　新時代の中国の特色ある社会主義の政治は人民に権力を握らせることで、選挙時の公約が選挙後に実現されない現象を確実に防ぐ

中共は、社会主義民主政治を発展させ、選挙時の公約が選挙後に実現されないといった現象を確実に防ぐと強調している。「選挙時は約束が満杯で、選挙後は誰も何もしない」という「口先だけの政治」といった現象は多くの資本主義国家に存在する。二〇一七年五月にフランスの大統

(1)　習近平「第二回世界インターネット大会開会式でのスピーチ」、人民日報、2015年12月17日。

領に当選したマクロンは選挙時に、「大統領に当選したら立法を推進し、フランスの政治界をより清廉にし、議会の改革を推進し、議員の親族を顧問や助手として雇うことを禁止し、政治界における家庭の背景が最優先といった伝統を断ち切り、権力のある頭脳労働者が起こす詐欺活動を根絶する」と話していた。しかし現実では、マクロスは何も実現しなかった。

「口先だけの政治」を防ぐには、まず人民が本当に権力を握るようにしなければならない。中共はずっと、すべての権力は人民に属すると強調してきた。習近平総書記は、「党委員会の交代期であろうと、人民代表大会であろうと、政府・政治協商の交代期であろうと、労働者階級の指導を体現するのは、労農同盟を基礎とする人民民主独裁の国体であり、党政府幹部、企業責任者は基本大衆に与えるべき定員を占めてはいけない。中共の指導する社会主義国家では、すべての権力が人民に属し、決して地位、財産、関係による政治権力を分配してはいけない！」と述べている。[1] 次に、大衆に完備した政治に参加させなければならない。人民が民主の権利を有しているかどうかは、選挙時に投票する権利があるかどうか、また国民が日常の政治生活の中で継続的に参与する権利があるかどうかをも見なければならない。また、人民が民主選挙を行う権利といった面では、人民が民主の政策決定、民主の管理、民主の監督を行う権利があるかどうかを見なければならない。社会主義の民主には完全な制度手続きが必要であるだけでなく、人々が実践に完

(1) 中共中央文献研究室『習近平の社会主義政治建設に関する論述の抜粋』、北京、中央文献出版社、2017年、49頁。

全に参加する必要がある。また、民主形式主義も防止しなければならない。習近平総書記は「人民は投票する権利しかなく、広範に参加する権利がない。人民は投票時に呼び覚まされ、投票後は休眠期に入る。このような民主主義は形式主義である」と指摘している。[(1)] 社会主義の民主主義は投票に役立つだけでなく、投票後も活発に発展することが可能なのだ。

八　新時代の中国の特色のある社会主義の政治は直ちに新しい社会群体を吸収し、民主を常に健全に歩ませる

新しい社会集団の出現と新しい訴求に対して、中共はずっと関心を持っている。習近平総書記は多くの演説の中で新しい社会群体の発生と発展について言及した。二〇一三年八月十九日の中国全国宣伝思想工作会議で、習近平総書記は「蟻族（安定した職を得られない大卒者集団）、北漂（地方から北京へ来た出稼ぎ労働者）、海帰（帰国子女）、海待（海外留学後就職を待つ人々）、散戸（個別になった世帯）など社会に新たに出現した人たちに注目するべきだ」と指摘し、また二〇一四年十月、文芸工作座談会での演説では「ここ数年、民営文化工房、民営文化事務所、インターネット文芸社群などの新しい文芸組織が大量に出現し、インターネット作家、契約作家、フリー

（1）中共中央文献研究室『習近平の社会主義政治建設に関する論述の抜粋』、北京、中央文献出版社、2017年、66頁。

ライター、自主制作映画人、独立俳優歌手、自由美術家などの新しい文芸グループが活躍している」と指摘した。[(1)] 二〇一五年五月の中央統制工作会議での演説では、習近平総書記は「インターネットの急速な発展に伴い、新メディアの発信者やインターネット上の『意見リーダー』を含むインターネット関係者が大量に出現している。この二つのグループの中には、インターネットを運営している人もいれば、『舞台を組んでいる人』もいる。中にはインターネットで発声したり、芝居を歌ったりしている人もいる。インターネットといった議題を左右するエネルギーは軽く見てはいけない」と話している。[(2)] 彼はまた「新経済組織、新社会組織における知識人は、弁護士、会計士、査定士、税務士などの専門家で、改革開放以来急速に成長してきた社会集団である。彼らは主に党の外、体制の外にいる為流動性が高く、思想が活発である」と指摘した。[(3)]

新しい社会集団は自身の利益の訴求と政策の訴求があり、政治の訴求もある。こうした訴えは中共の指導の下で社会主義民主政治の重要な構成部分に融合し、社会主義民主から外れる要素にはならず、異己の力となる。そして、新しい社会を人民代表大会制度と民主協商制度の中に組み入れることができ、彼らの代表者を合格な人民代表にすることができる。更に新社会の人々をまとめて、組織を通じて情況を理解し、仕事を展開することが可能となり、こうした社会団体と幅

(1)「習近平の文芸工作座談会での講演」、人民日報、2015年10月15日。
(2) 中共中央文献研究室『習近平の社会主義政治建設に関する論述の抜粋』、北京、中央文献出版社、2017年、135頁。
(3) 同上書、134頁。

広く全面的に協議し、協議の中で彼らの正当な利益を実現することができる。

二〇一四年五月九日、習近平総書記は中共河南省蘭考県委員会常務委員メンバーの民主生活会に参加した時の演説の中で、「中国最大の国情は中共の指導であり、これこそが正に中国の特色である。中共の指導する制度は私達自身のものだ。どこかからコピーしたものでもなく、他人の真似をしたものでもない」ときっぱりと指摘した[1]。

(1)　中共中央文献研究室『習近平の社会主義政治建設に関する論述の抜粋』、北京、中央文献出版社、２０１７年、28頁。

第五章　中国の偉大な社会変革の性質と歴史的な役割

中共十八大以来、習近平総書記はマルクス主義の広い視野で中国の現代社会の変革を観察し、「現代中国の偉大な社会変革は、中国の歴史文化を継続するだけのマスタリングではなく、またマルクス主義の古典作家が想定したテンプレートを簡単に適用するだけのでもなく、他の国の社会主義実践の再版でもなく、国外の現代化発展のコピーでもなく、既成の教科書を見つけることはできない」と主張してきた(1)。マルクス生誕二〇〇周年記念大会での演説で、習近平総書記は再び、「社会主義は一つの考え方に定められた、不変のパターンがあるわけではない。科学的社会主義の基本原則を自国の具体的実情、歴史文化の伝統、時代の要求と緊密に結びつけて、実践の中で絶えず探求・総括して、やっと理想をすばらしい現実に変えることができる」と指摘した(2)。こうした重大な論断は、新時代の中国の偉大な社会変革の性質を明らかにしただけでなく、新時代の

（1）　習近平『習近平　国政運営を語る』第2巻、北京、外文出版社、2017年、344頁。

（2）　習近平「マルクス生誕二〇〇周年を記念する大会での演説」、人民日報、2018年5月5日。

中国の偉大な社会変革の意義も明らかにした。

一　中国の偉大な社会変革は単に中国の歴史文化を受け継ぐだけのマスタリングではなく、創造的転化と革新的発展を基礎とした歴史文化の「創出版」である

㈠　新時代の中国の偉大な社会変革は歴史文化の「マスタリング」の継続である

中共党員は歴史虚無主義者ではなく、歴史を断ち切ったことがない。マルクスは「人々は自分で自分の歴史を創造するが、それは勝手に創造するのではなく、また自身で選んだ条件の下で創造するのでもなく、直面した状況、既定の事実、過去から受け継いだ条件の下で創造をする」と主張している。[1]中華民族の歴史文化は祖先が私たちに残した最も貴重な精神的財産であり、新時代中国のすべての社会変革の母体でもある。中共党員は歴史を断ち切ったことがない。中共の誕生は、マルクス主義と中国の国情、特に中国の歴史文化が結合した産物だからだ。半植民地半封建の旧中国では、救亡図存の先進分子が絶えず道を模索する過程でマルクス主義を選び、マルクス主義は中国労働者運動との結合の下で、中共を誕生させた。中共が成立すると、歴史上、中国が本当に新生へと向かう革命の希望と力となった。歴史に対し、中共党員は決して極端な態度で

（1）マルクス、エンゲルス『マルクスエンゲルス選集』第1巻（第3版）、北京、人民出版社、2012年。

それを切り離すのではなく、マルクス主義の唯物史観を堅持する立場でそれを見ている。毛沢東は「今日の中国は歴史の中国の発展であり、我々はマルクス主義の歴史主義者であり、歴史を断ち切るべきではない」と指摘している。[1] 習近平総書記は二〇一四年の中共第十八期中央委員会政治局第十八回集団学習会で、「中国の今日は中国の昨日と一昨日から発展してきた」と指摘した。また、「我々共産党員は確固たるマルクス主義者であり、わが党の指導思想はマルクス・レーニン主義、毛沢東思想と中国の特色ある社会主義理論体系である。同時に、我々は歴史虚無主義者でも文化虚無主義者でもない。要するに、共産党員は終始歴史から未来に向かうことを堅持し、民族文化の血脈を継続することから開拓し前進し、我々は歴史を断ち切ることもなく、歴史を虚しくすることもない」と話した。そして孔子生誕二千五百六十五周年を記念する国際学術シンポジウムおよび国際儒学連合会第五回会員大会開幕会での演説では、「歴史を忘れずに未来を切り開くことができ、継承に長けてこそ革新に長けていると言える。優れた伝統文化は一つの国、一つの民族の伝承と発展の根本であり、これを無くせば精神の命脈を断ち切ったも同然だ」と述べた。[2] 中国の新時代は深い中華歴史文化の伝統を基礎としている。

中共は中国の歴史文化から無限の力を吸収し、新時代に最も深い文化ソフトパワーを育成した。一部の中共の歴史はマルクス主義中国化の思想発展史であり、マルクス主義の指導の下で中国人

（1）毛沢東『毛沢東選集』第2巻（第2版）、北京、人民出版社、1991年、534頁。
（2）習近平『習近平　国政運営を語る』第2巻、北京、外文出版社、2017年、313頁。

民が革命、建設、改革を行う奮闘史でもある。マルクス主義は中共の思想の魂であり、歴史文化は中共の深い基礎であり、マルクス主義の中国化もマルクス主義の指導の下で具体的な国情に基づいた中国の歴史文化の継承と進化である。中共は中国文化の中から無限の力を吸収した。毛沢東は「孔子から孫中山まで、我々はこれを総括し、この貴重な遺産を受け継ぐべきだ。これは現在の偉大な運動を指導する上で重要な助けになる」と強調し、歴史文化に対する科学的態度を指摘した。また「我々が歴史遺産を学び、マルクス主義の方法で批判的な総括を与えることは、我々の学習のもう一つの任務である」とも話した[1]。習近平総書記も、「中共は革命、建設、改革の過程を指導する中で、歴史の学習と総括を一貫して重視し、歴史経験の参考と運用を一貫して重視している」と何度も強調した。歴史文化に対しては「我々は伝統文化を科学的に分析し、有益なもの、良いものを継承し、発揚し、負のもの、悪いものを防ぎ、克服し、その精華を取り、その粕を取り除き、全面的に受け入れたり、全面的に捨てたりする絶対主義的な態度をとることはできない」と指摘している。二〇一九年一月二日、習近平総書記は中国社会科学院中国歴史研究院の設立を祝う手紙の中で、「現代中国は歴史中国の継続と発展である。新時代は中国の特色ある社会主義を堅持し、発展させるには、中国の歴史と文化をより系統的に研究する必要があり、人類の発展の歴史法則をより深く把握し、歴史に対する深い思考の中で知恵を汲み取り、未来に向

(1)　毛沢東『毛沢東選集』第2巻（第2版）、北京、人民出版社、1991年、533―534頁。

から必要がある」と指摘した。

現代中国社会の偉大な変革は中国の歴史文化を基礎とし、これは私たちが行った偉大な社会変革の母版である。習近平総書記は、中国の特色ある社会主義の道は、中国の歴史伝承、文化伝統、経済社会の発展に基づいて長期的に発展し、漸進的に改善し、内生的に進化した結果であると繰り返し強調した。彼は「独特な文化伝統、独特な歴史運命、独特な国情は、私たちが必ず自分の特徴に合った発展の道を歩むことを運命付けている」[1]と指摘し、「この道は容易ではない。それは改革開放三十年以上の偉大な実践、中華人民共和国成立六十年以上の持続的な探索、近代以来百七十年以上の中華民族の発展過程の深い総括、中華民族の五千年以上の悠久な文明の伝承の中で出てくるものであり、深い歴史的な根源と広範な現実的基礎を持っている」と考える。[2]五千年以上の中華文明の長い歴史が無ければ、今日の中国の特色ある社会主義はない。エンゲルスが言ったように、ギリシャ文化やローマ帝国が築いた基礎がなければ、現代のヨーロッパもない。[3]

㈡　新時代の中国の偉大な社会変革は歴史文化の「マスタリング」に対する超越と革新である

歴史の発展、社会形態の客観的な発展にはその内在的な必然的な法則がある。そしていかなる社会形態の確立にも必然性がある。唯物史観は、経済基盤が上部構造を決定し、上部構造が経済

（1）習近平『習近平　国政運営を語る』第1巻（第2版）、北京、外文出版社、２０１８年、１５６頁。
（2）同上書、39―40頁。
（3）マルクス、エンゲルス『マルクスエンゲルス全集』第20巻、北京、人民出版社、１９７１年、１９６頁。

基盤に反作用すると考えている。今日の中国の社会形態は生産資料公有制によって決定された社会主義であり、生産資料公有制は封建土地私有制に対する革命的な改造を通じて完成した。中国は半植民地半封建社会の基礎の上で、資産階級の統治、資本主義の十分な発展の歴史段階を越えて、新民主主義社会を経て社会主義社会へと突入した。これは中国の歴史伝統、文化の蓄積、国情によって決定され、中国の特色ある社会主義の重要な内容でもある。中国の問題を解決する方法は中国の大地で探すしかないのだ。習近平総書記は、「我々が中国の特色ある社会主義の道を切り開いたのは偶然ではなく、中国の歴史的伝承と文化的伝統によって決定された運命だ」と指摘した。(1) もちろん、新時代の中国の偉大な社会変革は社会発展の歴史論理に対する従うだけでなく、中国の歴史文化の簡単な継続ではなく、生まれ変わる根本的な変革と根本的な超越である。

根本的な変革と根本的な超越は生産力の発展に現れ、中国は立ち後れた農業国から先進的な工業国となった。近代中国が西洋に遅れた根本的な原因は生産力の遅れにある。アヘン戦争の中で工業文明の堅船利砲と農業文明の大刀槍が出会った時、中国の封建的な農業生産は西洋の先進的な工業生産に完敗した。西洋が工業革命の推進の下で生産力が急進したとき、中国は閉鎖的な農耕世界で天朝上国の大きな夢を見ていた。アヘン戦争後、中国が半植民地半封建社会に転落し、

(1)「歴史の経験と教訓を覚え、歴史の警告は国家ガバナンス能力の現代化に有益な参考を提供する」、人民日報、2014年10月14日。

生産力の発展が難航した原因は、立ち後れた腐敗した封建生産関係と中国人民の頭に押された「三つの山」にある。毛沢東は中国の歴史状況と社会状況から出発し、マルクス・レーニン主義の指導の下で、旧民主主義革命と新たな民主主義革命を通し、プロレタリア階級の指導者を創立し、労農連盟を基礎とした、人民大衆の帝国主義、封建主義と官僚資本主義に反対する新民主主義革命理論を創立し、中共と中国人民を指導して新民主主義革命の勝利を勝ち取り、新中国を創立した。新中国の成立は、旧中国の半植民地半封建社会の歴史と、「砂だらけ」の局面を徹底的に終結させ、列強が中国に強要した不平等条約と帝国主義の中国におけるすべての特権を徹底的に廃止し、生産力発展の根本的な変革のために外部の弊害を取り除いた。社会主義の三大改造の完成と社会主義基本制度の確立は、生産力を束縛する内部弊害を徹底的に除去し、中華民族の有史以来最も広範で深い社会変革を完成させ、現代中国のすべての発展と進歩のために根本的な政治的な前提と制度の基礎を築いた。中国はこれにより、立ち後れた農業生産から先進生産への邁進を始めた。社会主義を全面的に建設する期間、我々は「一貧二白」の基礎の上で独立した、比較的完全な工業体系と国民経済体系を確立した。中国はすでに自動車、飛行機、戦車、トラクターなどを独自に設計し、量産できるだけでなく、原子爆弾、水素爆弾の爆発に成功し、中長距離ミサイルと人工衛星の試作と発射に成功した。これらの進展は、世界を驚かせた。鄧小平は一九七九年に「社会主義革命はすでにわが国の先進資本主義国家との経済発展における格差を大幅に短縮させた。我々はいくつかの過ちを犯したが、三十年間に旧中国の数百年、数千年にわたって得られなかった進歩を遂げた」と明確に述べた。[1] 生産力のさらなる発展を推進するために、鄧小平は社会主義の本質が生産力を解放し発展させると考え、改革開放の歴史的な新しいプロセスを開き、中国の特色ある社会主義を切り開いた。改革開放は中共が新しい時代条件の下で中国各民族人民を率いて行った新しい偉大な革命、また現代中国の最も鮮明な特色であり、現代中国の広範で深い社会変革でもある。改革開放は生産力を極めて解放し発展させ、わずか四十年余りの間に、中国の工業生産力は空前の発展を得て、総合的な国力と人民の生活水準は著しく向上し、経済総量はすでに世界第二位に躍進した。立ち後れた農業生産から先進的な工業生産への根本的な変革は、現代中国社会の変革の物質経済基礎を築いたのである。これはまさしく習近平主席が指摘した、「現在、我々は歴史上のいかなる時期よりも中華民族の偉大な復興の目標に近づき、歴史上のいかなる時期よりも自信を持ち、この目標を実現する能力を持っている」[2] という言葉の通りである。

根本的な変革と根本的な超越は生産関係の調整に現れ、中国はすべての搾取制度を消滅させ、社会主義基本制度を確立した。新中国成立後、土地改革運動はわが国に数千年の封建制度の経済基礎、すなわち土地所有制の形式を徹底的に消滅させ、偉大な歴史的勝利を収めた。それに伴って消滅したのは封建的な地主階級が農民階級の生産関係を搾取する現象であった。経済基盤による上部構造の決定と、封建的な土地所有制の廃止は新中国がこれまでの中国のいかなる歴史段階

(1)　鄧小平『鄧小平文選』第2巻（第2版）、北京、人民出版社、1994年、167頁。
(2)　習近平『習近平　国政運営を語る』第1巻（第2版）、北京、外文出版社、2018年、35―36頁。

とも本質的に異なることを示している。社会主義改造の完成は中国が新民主主義から社会主義への転換を実現したことを示しており、社会主義基本制度が最終的に確立され、これは中国という世界の人口の1／4を占める東方大国を社会主義社会に進出させ、中国社会の変革と歴史の進歩の巨大な飛躍となった。また、生産関係の根本的な変革は生産力の発展を大きく促進し、伝統的な中国を現代化に向かわせた。

根本的な変革と根本的な超越は政治制度の建設に現れ、中国は社会主義の根本的・基本的な政治制度の完備と、人民が家主となる権利を絶えず実現させ、特に中共十八大以来は、人民の民主的権利の実現を妨げる障害の除去に力を入れている。二〇一三年一月二十二日、習近平総書記は中共第十八期中央委員会規律委員会第二回全体会議での演説で、「進学、公務員試験、企業進学、プロジェクト進学、昇進、家の購入、就職、公演、出国など様々な機会を人間関係に頼らなければならず、背景があればより多くの配慮を受けることができ、背景が無ければ機会すらないといった現象は、社会の公平と正義に深刻な影響を及ぼす。このような状況が適正されなければ、人材が輩出され、人材が尽くす生き生きとした局面を形成することができるだろうか。この社会はまだ発展の活力があるだろうか？私たちの党と国家はまた生き生きと前に発展することができるだろうか？我々中国共産党人は封建社会のような『封妻蔭子』(1)『一人で道を得て、鶏や犬が天に昇

（1）（封建時代に）夫の功績によって妻が称号を与えられ子供が特権を受け継ぐ。（訳者注）

る』といった腐敗の道を決して辿ってはならない！さもなくば、大衆は背骨を突くのだ」と厳しく指摘した。[1] そのため、ここ数年、中国は行政審査・認可事項の削減と規範化に力を入れ、企業を設立し、プロジェクトに余分な審査・認可のプロセスを必要とせず、関係を探す現象も大幅に減少させた。李克強総理は二〇一六年三月二十八日、国務院第四回廉政工作会議での演説で、この問題について「多くの企業と大衆の反応によると、一部の政府部門の審査・認可事項は依然として多すぎる。去年の国務院の大監督・調査によると、ある投資建設プロジェクトは四十余りの審査・承認プロセスを経なければならず、一〇〇余りの公印を押さなければならない。ある工業建設プロジェクトは、二年余りの時間をかけて審査・認可を行う必要がある。審査・認可の『万里の長征図』は、審査・認可の手続きが簡素化されたことで『千里の長征』や『百里の長征』になるかもしれないが、依然として『長征』である。だから、更に圧縮し、それをできるだけ市場に与えることができるようにしなければならない」と述べた。[2] 企業は四十以上の審査・承認プロセスで、一〇〇余りの公印を押す「長征」の過程で、「関係に頼る」といった問題が避けられず、腐敗を生むだけでなく、企業の発展の積極性にも影響を与える。このような状況の発生を減らすには、政府の職能をさらに転換させ、行政審査・認可事項を削減し、規範化しなければならない。その為には市場と企業の自主性をより十分にし、国家・民衆の安全及び環境保護に関する事項を

（1）中共中央文献研究室『十八大以来の重要文献選編』上、北京、中央文献出版社、２０１４年、１３７―１３８頁。
（2）李克強「国務院第四回廉政工作会議での演説」、人民日報、２０１６年４月15日。

除き、投資プロジェクトの強制的な評価審査を一律に取り消し、企業の人為的な要素の妨害を減らす必要がある。また、保留中の投資審査・認可事項を規範化し、その基準を明確かつ統一的なものにし、プロセスを減少短縮し、プロジェクトに対して期限付きで決算しなければならない。「窓口受付、ワンストップ処理、ワンストップサービス」、更にはネットで行う事務を大いに推進し、企業と審査・認可部門の人員が面と向かって付き合う機会と回数を減らし、関係問題による発生確率を効果的に防止する。また、「インターネット＋政務サービス」も大いに推し進め、部門間のデータ共有を実現し、住民と企業が足を踏み入れず、効率よく、渋滞しないようにしなければならない。全面的、かつ厳格に中共を治めることを通じて、党の規律と規則を明らかにし、作風建設に力を入れ、権力と利益の交換を遮断しなければならない。まず、幹部は自覚的に人民大衆の利益を第一にしなければならない。一九四五年、毛沢東は中共七大の閉会語で、人民大衆は中国共産党人の神だと指摘した。一九六五年八月三日、毛沢東はフランスの大統領特使、マルロ国務長官との会見時、「毛主席以前に農民革命を指導して勝利した人は誰もいないと思う。あなたたちはどのように農民をこんなに勇敢に啓発したのか」と聞かれ、毛沢東は「この問題は簡単だ。私たちは農民と同じご飯を食べ、同じ服を着て、兵士たちに私たちが特殊な階層ではないと感じさせた。私たちは農村階級関係を調査し、地主階級の土地を没収し、土地を農民に分けた」と答えた。[1] 毛沢東の回答は中共が政権を獲得し、民心を獲得する真の意味である。社会主義市場経済

（1）「七人の外国人は毛沢東を見る　とても興味があって深く計り知れない人だ」（2013.12. 24）http://www.guancha.

を発展させる条件の下では、更に人民の利益を第一にしなければならない。次に、中共党内の監督意識を強め、広範な党員が積極的に幹部のしたことを監督することができ、特に大衆の利益と機会を占領する問題に対しては厳重監督することができる。

この偉大な社会変革はマスタリングを基礎とし、創造的な転化と革新的な発展を行う「創出版」である。中国はマルクス主義を指導とし、優秀な伝統文化における「小康」と「寡を患へずして均しからざる患ふ」という観念を科学的に運用し、小康社会の全面的建設と共同富裕思想を提案した。二〇一四年九月、孔子生誕二千五百六十五周年を記念する国際学術シンポジウムおよび国際儒学連合会第五回会員大会開幕式での演説で、習近平総書記は「中国人民は二つの『百年奮闘目標』を実現するために努力している。これは中華民族が古くから追求してきた理想的な社会状態である。『小康』という概念を用いて中国の発展目標を確立することは、中国の発展の実際に合致するだけでなく、最も広範な人民の理解と支持を得やすい」と話した。[1]習近平総書記はまた、「共に豊かになることはマルクス主義の基本的な目標であり、古くから伝わるわが国人民の基本的な理想でもある。孔子は『寡を患へずして均しからざる患ふ。貧を患へずして安からざるを患ふ』と主張し、孟子は『自分の親を敬う心を他人の親にまで及ぼし、自分の子供をいつくしむ心

---

cn/RenMinWang/20131224_194878.shtml.

（1）習近平「孔子生誕二千五百六十五周年を記念する国際学術シンポジウム及び国際儒学連合会第五回会員大会開幕式での演説」、人民日報、２０１４年９月25日。

を他人の子供にまで及ばせる』と主張している。また『礼記』「礼運」では『小康』社会と『大同』社会の状態が具体的に生き生きと描かれている」と話した。[1] それだけでなく、習近平総書記は「中国の優れた伝統文化の中の『実事求是』を党内の政治生活の基本規範と共産党員の価値観へと変える必要があり、中共が長期的な実践の中で、実事求是に基づき、理論と実際を結びつけ、大衆と密接になりながら、批判と自己批判、民主集中制、党の規律を厳格にするなどを主な内容とする党内政治生活の基本規範を徐々に形成するべきだ」と指摘した。彼はまた忠誠心、正直さ、真面目さ、実事求是、清正廉潔などの共産党人の価値観を発揚することを要求した。

二　中国の偉大な社会変革は単にマルクス主義構想のテンプレートを当てはめるのではなく、マルクス主義の中国化といった「活版」である

新時代の中国の偉大な社会変革はマルクス主義の古典作家が想定した未来社会のテンプレートを簡単に写し取るのではなく、マルクス主義の基本原理を堅持した上で絶えず発展している「活版」である。

(一)　新時代の中国の偉大な社会変革は単にマルクス主義構想のテンプレートを当てはめるので

---

(1)　習近平「省部級の主要指導幹部が中共第十八期中央委員会第五回全体会議の精神を学習・貫徹する特別テーマ研究班での演説」、人民日報、2016年5月10日。

はない

マルクス主義はどこでも適応する普遍的な真理であるが、各国と民族の発展の道を切り抜く抜き型、金型ではない。百四十年以上前、一八七七年にマルクスは『祖国雑記』編集部あての手紙」の中で、各民族の発展の道には独自の特殊性があり、西欧資本主義発展の道を人類の発展の普遍的な道と見なすことができないことを明らかにした。「彼は西欧資本主義の起源に関する私の歴史の概要を徹底的に一般発展の道に変えなければならない歴史哲学理論……しかし、私は彼に許してもらいたい。（彼がこのようにすれば、私に多くの栄誉が与えられ、同時に多くの侮辱が与えられるだろう）[1]。一般的な歴史哲学理論は各民族の発展の道の普遍性を含む理論であり、西洋の発展の道を人類の発展の道と簡単に同等にしている。これに対してマルクス主義は反対している。何故なら、すべての民族の発展の道にはその特殊性があるからだ。さらに重要なのは、どの国も社会主義の道を歩む方法にも多様性があることだ。一〇〇年以上前、レーニンが一九一六年八―九月にかけて書いた「型破りなマルクス主義と『帝国主義経済主義』について」という文章では、「人類が今日の帝国主義から明日に向かう社会主義革命の道においても、同様にこのような多様性を示す。すべての民族が社会主義に向かうことは避けられないが、すべての民族の歩みは完全に同じではない。民主的な様々な形式、プロレタリア階級の独裁的な様々な形態の上で、

（1）マルクス、エンゲルス『マルクスエンゲルス文集』第3巻、北京、人民出版社、２００９年、４６６頁。

社会生活の各方面の社会主義改造の速度には、どの民族にも独自の特徴がある」と書かれている。(1)確かに、ソ連と中国の社会主義革命、建設と改革の歴史を比較すると、ソ連共産党がソ連人民を率いて政権を奪取するのはまず都市を奪取し、農村を占領するといった方法であり、一方中国共産党が中国人民を率いて歩んだのは農村で都市を包囲する道である。ソ連の社会主義改造は十九年を経て、一九一七年十月革命から一九三六年にソ連憲法が公布された。中国の社会主義改造は七年を経て、一九四九年に中華人民共和国が成立してから一九五六年までに三つの改造が完成した。ソ連の一九八〇年代のいわゆる改革はマルクス主義から離れ、最終的にソ連解体、ソ連共産党解散をもたらした。中国は一九七八年から改革開放を行い、中国を大いに時代に追いつかせ、中華民族が立ち上がり、豊かになって強くなるといった偉大な飛躍を実現した。

　中国の歴史発展の特殊性は中国が偉大な社会変革を推進するのにマルクス経典作家の構想テンプレートで簡単にカバーすることはできないことを運命付けている。一八四〇年のアヘン戦争後、中国は次第に半植民地半封建社会に転落し、中国の近代に発生した社会変革は他の国とは異なる。この点を、マルクス、エンゲルスはとっくに予見していた。ロシアの十月革命後、中国革命は世界社会主義革命の一部となり、中国革命は旧民主主義革命から新民主主義革命に発展した。この革命は農民が人口の大多数を占める中国で発生し、その革命の深さと方式はマルクスが想定した

(1) レーニン『レーニン全集』第28巻(第2版)、北京、人民出版社、1990年、16頁。

労働者階級が人口の大多数を占める国とは異なる。改革開放は農民の人口が多数を占め、自然・半自然経済が大量に存在し、計画経済体制を主とする現実状況の下で行われた。農民を市民に変え、自然・半自然経済を商品経済に導き、計画経済体制を市場経済に転換し、農業社会を工業化社会に変えることは歴史上かつてない巨大な変革である。これはいかなる思想家も想像しがたいものであり、いかなるテンプレートも新時代の中国の偉大な変革の大波を刻むことができない。鄧小平は、マルクスが亡くなってから百年、数百年の間に発生した問題を解決するために既成の答えを提供することを決して要求してはならないと明確に指摘した。

(二) 新時代の中国の偉大な社会変革はマルクス主義中国化の「活版」である

新時代の中国の偉大な社会変革は終始マルクス主義を堅持し、発展させ、マルクス主義を指導として改革開放を推進し、改革開放は進行のみで完成がないということを強調している。マルクス主義の歴史唯物主義は私たちに、経済基盤が上部構造を決定し、経済体制改革が他方面の改革において重要な伝導作用を持っているということを教えてくれた。マルクスは『政治経済学批判』の序言で「人々は自分の生活の社会生産の中で一定の、必然的な、彼らの意志を移さない関係、すなわち彼らの物質生産力の一定の発展段階に適した生産関係が発生する。これらの生産関係の総和は社会の経済構造を構築する。つまり法律的で政治的な上部構造がその上に立って一定の社会意識形式がそれに適応するのが現実的な基礎だ」と主張する。(1) この思想に基づいて、習近平総

(1) マルクス、エンゲルス『マルクスエンゲルス全集』第13巻、北京、人民出版社、1962年、8頁。

書記は「改革を全面的に深化させる中で、我々は経済体制改革を主軸とすることを堅持し、重要な分野と肝心なプロセスの改革において新たな突破を勝ち取るよう努力し、これによって他の分野の改革を牽引し、各方面の改革を協力して推進させ、合力を形成させる。各自が政治を行い、力を分散させるのではない」と強調した。(1) 同時に、中国はマルクス主義の唯物主義を指導とし、改革の系統性、全体性、協同性と関連性を強調した。経済体制改革を推進すると共に、政治体制の改革、文化体制の改革、社会体制の改革と生態文明体制の改革を推進し、各改革を相互に促進させ、同方向に力を入れる。政治体制改革の分野で中国は、国家統治(ガバナンス)体系と統治(ガバナンス)能力の現代化を絶えず改善することを強調し、根本的な政治制度、基本的な政治制度を継続した上で、制度体制の完備と発展を推進している。文化体制の改革の面では、文化管理体制の整備を強調し、社会効果を第一とした、社会効果と経済効果を統一する体制メカニズムの構築を加速させ、豊かな精神食糧を提供し、人民がすばらしい生活を送る新たな期待を満たす。社会体制改革の面では、より公平で持続可能な社会保障制度の建設を強調し、社会管理を強化・革新し、中国の特色ある社会主義社会管理システムを完備させた。生態文明体制の改革の面では、できるだけ早く生態文明制度の「四梁八柱」(四本の梁と八本の柱=家の骨組み)を確立し、生態文明の建設を制度化、法治化の軌道に乗せることを強調した。

(1) 習近平『習近平 国政運営を語る』第1巻(第2版)、北京、外文出版社、2018年、94頁。

新時代の中国の偉大な社会変革は終始マルクス主義を継続・発展させ、マルクス主義政治経済学を指導として社会主義市場経済体制の確立、完備と発展を推進した。社会主義市場経済体制を確立することは、人類経済史上の偉大な創造であるが、どのようにこの創造を実現するかといえば、中共党員はマルクス主義政治経済学を指導とし、大胆な革新を行った。一九八四年十月に「中共中央の経済体制改革に関する決定」が採択された後、鄧小平はこの決定を評価して政治経済学の初稿を書いた。マルクス主義の基本原理と中国社会主義の実践を結合した政治経済学である。[1]鄧小平は、「中共中央の経済体制改革に関する決定」には祖先が言ったことのない言葉もあれば、新しい言葉もある、と述べた。[2]こうした突破的な基礎の上で、中共十四大では、中国の経済体制改革の目標は社会主義市場経済体制を確立することであると提案された。中共第十四期中央委員会第三回全体会議（三中全会）では「社会主義市場経済体制の構築における若干の問題に関する中共中央の決定」を採択し、中共十四大が提案した経済体制改革の目標と基本原則を具体化した。中共第十六期中央委員会第三回全体会議（三中全会）は「中共中央の社会主義市場経済体制を改善する若干の問題に関する決定」を採択し、資源配置における市場の基礎的役割をより大きく発揮し、企業の活力と競争力を強化し、国家のマクロコントロールを健全にし、政府の社会管理と公共サービス職能を完備させることを強調した。小康社会を全面的に建設するために強力な体制

（1）王金華『鄧小平実事求是思想研究』、武漢、湖北人民出版社、２００２年、２２０頁。
（2）同上。

保障を提供するのである。中共第十八期中央委員会第三回全体会議（三中全会）で採択された「改革の全面的深化における若干の重要な問題に関する中共中央の決定」は、市場が資源配置の中で決定的な役割を果たすように経済体制の改革を深化させ、経済のより効率的、より公平、より持続可能な発展を推進することをしっかりと巡っていることが指摘された。

二〇一三年十一月十二日、習近平総書記は中共第十八期中央委員会第三回全体会議（三中全会）の第二回全体会議での演説で、社会主義市場経済改革の方向を堅持し、核心的な問題は政府と市場の関係をうまく処理し、市場が資源配置の中で決定的な役割を果たし、政府の役割をよりよく発揮させることであると指摘した。中共第十一期中央委員会第三回全体会議（三中全会）以来、中共はマルクス主義政治経済学の基本原理と改革開放の新しい実践を結びつけ、ママルクス主義政治経済学を絶えず豊かに発展させ、現代中国のマルクス主義政治経済学の多くの重要な理論成果を形成した。例えば、社会主義の本質に関する理論、社会主義初級段階の基本経済制度に関する理論、新発展の理念に関する理論、社会主義市場経済の発展、市場を資源配置の中で決定的な役割を果たし、政府の役割をよりよく発揮させる理論、中国の経済発展が新常態（ニューノーマル）と供給側（サプライサイド）の構造的な改革に入る理論、新型工業化、情報化、都市化、農業現代化の相互協調を推進する理論、国内外の二つの市場、二つの資源をうまく使う理論、農村振興戦略に関する理論、などが挙げられる。中国はマルクス主義を指導とし、社会主義市場経済体制を確立し、完備させせた。社会主義の条件の下で市場経済を発展させることは、中共の偉大な創挙である。中国の改革開放が四十年以上にわたって大きな成果を収めた重要な要素の一つは、中国が市場経済の長所を発揮し、社会主義制度の優越性を発揮したことだ。習近平総書記は、「我々は中共の指導と社会主義制度の大前提の下で市場経済を発展させ、いつまでも『社会主義』という定語を忘れてはならない」と指摘した。また、「社会主義市場経済というのは、我々の制度の優越性を堅持し、資本主義市場経済の弊害を効果的に防ぐことだ」と述べた。[1] 二〇一九年に開かれた中共第十九期中央委員会第四回全体会議（四中全会）ではまた、社会主義市場経済を社会主義基本経済制度の面に昇格させ、これをさらに発展させた。

新時代の中国の偉大な社会変革は終始マルクス主義を継続・発展させ、マルクス主義の科学社会主義を指導として改革開放を推進した。中国の改革開放は科学社会主義の要求を体現している。改革開放から四十年以上経つが、一部の人はいつも中国の社会主義が社会主義であるかどうかを疑問視している。中共は終始、中国の特色ある社会主義は、科学社会主義の基本原則を堅持するだけでなく、時代の条件に基づいて鮮明な中国の特色を与えたと強調した。中国の特色ある社会主義は中国の大地に根ざし、中国人民の意思を反映し、中国と時代の発展と進歩の要求に適応する科学社会主義である。科学社会主義は未来の社会が搾取・階級を撲滅した上で、一人一人の自由で全面的な発展を強調し、中国の改革開放は国情に適応した上で、人民を中心とした発展思想

（1）中共中央文献研究室『習近平の社会主義経済建設に関する論述の抜粋』、北京、中央文献出版社、2017年、64頁。

を堅持し、人の全面的な発展を絶えず促進し、全人民共同の富裕を実現する。科学社会主義は未来の社会がプロレタリア階級の政党指導を堅持することを強調し、中国の改革開放は終始中共のすべての仕事に対する指導、すなわち政党・政府・軍隊・人民・学校といった全領域の中で、中共がすべてを指導することを堅持している。中国の特色ある社会主義の活力は科学社会主義理論論理と中国の歴史論理の有機的な統一に由来している。中国はマルクス主義党建設思想を指導とし、中国の特色ある社会主義の最も本質的な特徴は中共の指導で、最大の優位性も中共の指導であり、中共は最高の政治指導力であることを明確にした。これはマルクス主義党建設思想の豊かな発展形である。

㈢　新時代の中国の偉大な社会変革の「活板」の鮮明な特徴

新時代の中国の偉大な社会変革は社会革命と自己革命の有機的な統一である。間違いなく、新時代の中国社会の変革は偉大な社会革命である。中華民族の近代以来の飛躍は、偉大な革命の進行から離れられない。中共の成立以来、中国は新民主主義革命と社会主義革命を完成させ、中華民族が「東アジアの病夫」から立ち上がるといった偉大な飛躍を実現した。中共第十一期中央委員会第三回全体会議（三中全会）以来、中国は改革という偉大な革命を行い、中華民族が立ち上がってから豊かになるまでの偉大な飛躍を実現した。新時代に入り、中国は新たな偉大な革命を行い、中華民族は豊かになって強くなるといった偉大な飛躍を迎えた。新時代の偉大な革命の深いところは、中国の特色ある社会主義制度を完備させ、十三億人を中所得層に邁進させ、二十一世紀中葉に共同富裕を基本的に実現することにある。利益が固化した垣根を突破し、発展を阻害する様々な頑瘴の持病に勇敢にメスを入れなければならない。また社会主義市場経済を大いに発展させ、市場経済主体を推進する力はますます強くなり、同時に市場経済をしっかりと制御することができる。習近平総書記が二〇一八年七月の全国組織工作会議で述べたように、新時代において、中共は人民を指導して偉大な社会革命を行い、領域の広範性をカバーし、利益構造調整の深刻性に触れ、矛盾と問題にかかわる鋭さ、体制・メカニズムの障害を突破する困難性、偉大な闘争情勢を行う複雑性は、かつてないものである。[1]この偉大な社会革命は中共の自己革命と緊密に結びついている。二〇一八年一月五日、新しい中共中央委員、候補委員と省部級の主要指導幹部が習近平の新時代の中国の特色ある社会主義思想と中共十九大精神を学習・貫徹する研究班の開講式で、習近平総書記は「新時代を中国の特色ある社会主義という偉大な社会革命を堅持し、発展させる」と指摘した。中共は勇敢に自己革命を行い、中共をより強固で力強いものに建設しなければならない」と述べた。[2]中共は特殊な私利のないプロレタリア階級政党であり、勇敢に自己革命を行い、自己革命を上手に行い、自己革命の中で絶えず強大になる政党である。自己革命

（1）「新時代の党の組織路線を着実に貫徹、実行し、全党は党をより強く力強く建設するよう努力する」、人民日報、２０１８年７月５日。

（2）「時を待たずに朝夕を争う精神で仕事に投入し、新時代の中国の特色ある社会主義事業の新しい局面を切り開く」、人民日報、２０１８年１月６日。

の中で成長することは、中共の大きな優位性である。自己革命とは、先進性を弱め、純潔性を損なうすべての問題と闘い、中共自身に存在する際立った問題の解決に力を入れ、中共の自己浄化、自己完備、自己革新、自己向上能力を絶えず強化し、「四大試練」を受け、「四つの危険」を克服し、中共が終始中国の特色ある社会主義事業の強固な指導核心になることを確保することである。

新時代の中国の偉大な社会変革は中共の強固で力強い指導と広範な人民大衆の活力が爆発した有機的な統一である。新時代の中国の偉大な社会変革は中国共産党の指導の下で秩序正しく推進された。改革開放は深刻で全面的な社会変革であり、さらに深刻で偉大な革命であり、中共の指導の下で推進しなければならない。中共の指導を堅持してこそ、複雑な物事の表象の中から準改革の脈拍と、改革を全面的に深化させる内在的な法則と関連する重大な関係を把握し、改革を既定の目標に向かって前進させることができる。中共の指導から離れれば、改革は混乱に陥る。中共の指導をしっかりと堅持すると同時に、人民大衆の主体力をしっかりと発揮しなければならない。人民は改革の主体であり、改革開放が広範な人民大衆の心から擁護と積極的な参加を得たのは、中共が最初から改革開放事業を人民大衆の中に深く根付かせ、改革開放を人民大衆自身の事としたからである。二〇一八年四月中旬現在、中国市場の主体は一億二十四万戸に達し、その中には企業と自営業者が含まれており、これは中国が世界最大の起業国になっていることを示している。[1]二〇一九年には年間二千百七十九万戸の市場主体が新設され、一日平均二万戸の企業が新

（1）「中国市場主体が億戸時代に突入」、新華網、2018年4月20日。

設された。人民大衆の起業・革新・創造の積極性は空前の高まりであり、中国経済の質の高い発展を推進している。

三　中国の偉大な社会変革は他国の社会主義実践の再版ではなく、世界社会主義の新しい歴史を創造する「新版」である

新時代の中国の偉大な社会変革はソ連・東欧などの社会主義国家の歴史的な実践におけるいくつかの重大な問題の経験と教訓を吸収し、社会主義発展の法則に対する認識を全面的に深化させ、中国の特色と時代の特徴を持つ「新版」社会主義を形成し、二十一世紀の世界社会主義の発展に重要な貢献をした。

(一)　新時代の中国の偉大な社会変革は他の社会主義国家の科学社会主義問題に対する経験と教訓を吸収し、「新版」社会主義は正しい前進方向を維持した

エンゲルスは、「いわゆる『社会主義社会』は変わらないものではなく、他の社会制度と同じように、常に変化し、改革する社会と見なすべきだ」と指摘した。[1] ソ連のリベルマン提案とコシキンの「新経済体制」改革、ポーランドとハンガリーの二十世紀五十、六十年代の改革、チェコ

(1)　マルクス、エンゲルス『マルクスエンゲル選集』第4巻（第3版）、北京、人民出版社、2012年、601頁。

スロバキアが夭折した「プラハの春」など、ソ連・東欧社会主義国家も実践の中で一定の改革措置を取った。これらの措置は経済管理体制などの面で従来のソ連モデルを改革しようと試みたが、全体的に教条主義の枠組みから飛び出せていない。ユーゴスラビアの社会主義自治制度の建設は効果的だったが、ある程度共産党の指導を弱め、民族分離主義の傾向を強めた。一九八〇年代半ば以降、ソ連・東欧社会主義国家は改革の苦境に直面し、社会主義制度を相次いで放棄した。ソ連・東欧社会主義国家の科学社会主義態度問題に対する教条主義と機会主義の誤りは社会主義実践における深刻な教訓である。

一九五〇年代に中国の社会主義建設が始まったばかりの頃、毛沢東は「ソ連を鑑とする」という問題を提起した。いわゆる「ソ連を鑑とする」とは、ソ連・東欧国家の社会主義建設の経験を研究・学習しないのではなく、国情に基づいて写し取ることを避けるということだ。改革開放以来、この原則はよく受け継がれてきた。中国は広さと深さの面でソ連・東欧国家よりずっと影響の深い改革開放を実行しただけでなく、科学社会主義の基本原則と道を堅持し、新時代の中国の偉大な社会変革を実現した。鄧小平が指摘したように、もし社会主義を堅持せず、改革開放せず、経済を発展させず、人民の生活を改善しなければ、それは死への道となる。習近平総書記は「中国の特色ある社会主義は他の主義でなく社会主義であり、科学社会主義の基本原則を捨ててはならない。なくしたら社会主義ではない」と強調した。[1] そして、改革の社会主義の方向を維持し、転

(1)「中国の特色ある社会主義を揺るぎなく堅持し発展させ、実践の中で絶えず発見し、創造し、前進している」、人民日

覆的な過ちを犯すことを避けなければならないと指摘した。新時代の中国の偉大な社会変革は四つの基本原則が立国の手本であることを堅持するとともに、改革開放が強国への道であることを強調し、「新版」社会主義の正しい前進方向を保証した。

新時代の中国の偉大な社会変革は、ドアを閉めた閉鎖的なものではなく、他の社会主義国家の成功実践の経験を十分に吸収し、参考にした。二〇一四年五月二十二日、外国の専門家と座談した際の演説で、習近平総書記は「どの民族、どの国も他の民族、他の国の優れた文明成果を学ぶ必要がある。中国は永遠に学習大国になり、どのレベルに発展しても虚心に世界各国の人民に学び、より開放的で包容的な姿勢で、世界各国との相互収容、相互参照、相互接続を強化し、対外開放を絶えず新しいレベルに高めなければならない」[1]と指摘した。第二次世界大戦終戦後、ユーゴスラビアは自国の国情に合致する社会主義制度を確立し、ヨシップ・ブローズ・チトーを代表とするユーゴスラビア共産党が全国各民族人民を団結させ、率い、模索を経て、「社会主義労働者自治制度」を創立し、市場経済を発展させ、自国の国情に適した道を見つけた。中共第十一期中央委員会第三回全体会議（三中全会）の後、中国の指導者と多くの分野の専門家はユーゴスラビアに行って学習し、社会主義建設の経験を参考にし、中国の改革開放を力強く推進した。新し

報、2013年1月6日。

（1）中共中央文献研究室『習近平の社会主義経済建設に関する論述の抜粋』、中央文献出版社、2017年、289頁。

い時代に入り、中国も他の社会主義国家建設の実践経験を絶えず参考にしている。二〇一四年七月二十三日、習近平総書記がハバナでキューバのラウル・カストロ国家評議会議長兼閣僚会議議長と会談し、「中国はキューバと引き続き上層部の交流を維持し、党間交流を強化し、各レベルの対話と協議を密接にし、相手の核心的利益と重大な関心に関わる問題において引き続き相互に支持し、治国理政、社会主義建設について交流を強化し、それぞれの改革過程において相互に参考し、相互に支持し合う」と表明した。[1] 二〇一七年十一月十二日、習近平総書記はハノイのベトナム共産党中央駐屯地でベトナム共産党中央委員会総書記の阮富仲氏と会談した。彼と阮富仲氏は新しい情勢の下で中国とベトナムの全面的な戦略協力パートナーシップを深化させることについて重要な共通認識を達成し、双方が互いに参考にし、共同発展し、各国の社会主義建設事業に新たな活力を注入しなければならないと話した。

(二) 新時代の中国の偉大な社会変革は他の社会主義国家の社会主義発展段階の問題における経験と教訓を吸収し、「新版」社会主義は科学戦略のステップを計画した

社会主義発展段階の問題は社会主義国家が直面している重大な理論と実践問題である。社会主義発展段階の問題において実際に合致する認識があってこそ、これを根拠に正しい路線、方針、

(1) 「習近平がハバナでキューバのラウル・カストロ国家評議会議長兼閣僚会議議長と会談」、人民日報、2014年7月24日。

政策を制定することができる。マルクスは共産主義社会を第一段階と高級段階に分け、レーニンは初めて共産主義社会の第一段階を社会主義社会と呼んだ。社会主義社会はどのくらいの歴史的時期であり、社会主義社会がいつ共産主義社会に移行できるのか、どのような条件が必要なのかは、社会主義国家が設立された後に直接直面する現実的な問題となっている。蘇東社会主義国家は社会主義発展段階の問題で自国の実際の発展段階を超えた理論を奉行し、社会主義事業に大きな損害を与えた。一九三九年のソ連共産党（ボルシェビキ）第十八回全国代表大会の決議では、ソ連社会が「プロレタリア階級の社会主義建設を完成し、社会主義から共産主義の段階に徐々に移行した」とし、ヘルツェフは「共産主義建設を全面的に展開する」理論を出し、ブルジュネフは「先進社会主義社会」理論を出した。多くの判断が大いに先頭に立つことで、ソ連の社会主義実践に非常に消極的な影響を与えた。

中国は社会主義建設の過程においても、発展段階の判断が先頭に立った深刻な教訓がある。改革開放以来、実事求是思想路線の導きの下で、中共は社会主義初級段階の理論を形成した。鄧小平氏は、社会主義は共産主義の第一段階であり、もちろんこれは長い歴史的段階であると指摘した。中国は共産主義の第一段階にある初級段階でもある。習近平総書記は、「共産主義は決して『肉じゃが』ほど簡単ではない」と話した。[1]そして社会主義の初級段階における中共の基本路線を形

（1）習近平『習近平　国政運営を語る』第2巻、北京、外文出版社、２０１７年、１４２―１４３頁。

成し、「三歩走（三段階発展）」といった戦略目標を制定した。中共十九大ではまた二〇二〇年から今世紀中葉までの戦略的手配が計画された。新時代の中国の偉大な社会変革は社会主義発展段階を正しく認識した上で、段階的に計画し、実行する科学的な戦略であり、これは「新版」の社会主義の顕著な特徴である。

四　中国の偉大な社会変革は海外の現代化発展のコピーではなく、現代化の一般法則、社会主義現代化の普遍的な法則と中国社会主義現代化の特殊な法則を深く把握する「型版」である

中共十九大の報告では、新時代は社会主義現代化強国を全面的に建設する時代であることが指摘された。社会主義現代化強国の建設は、中共が中国人民を指導して中国社会の偉大な変革を行う継続であり、新時代の中国の偉大な社会変革は、国外の現代化発展のコピーではなく、現代化の一般的な法則、社会主義現代化の普遍的な法則と中国社会主義現代化の特殊な法則を深く把握する「型版」である。

㈠　新時代の中国の偉大な社会変革はコピーではない

新時代の中国の偉大な社会変革は国外の現代化発展のコピーではない。現代化は一つの社会が伝統から現代に転化する過程であり、資本の蓄積と技術の進歩の過程である。国外における現代化の道は主に二種類あり、一つは戦争略奪に頼って現代化に向かう道であり、一つは依存の方式

を通じて現代化に向かう道である。中国の現代化は社会主義の現代化であり、人類史上の血生臭い現代化ではなく、依存性国家になるといった現代化でもない。西洋の先進資本主義国家は戦争略奪に頼って現代化に向かっている。このような国家は主に欧米の「老舗」の先進国で、彼らは拡張主義、植民地主義に頼り、血と火の原始的な蓄積と植民地略奪を経て、現代化のために物質の基礎を蓄積する。「共産党宣言」では、「製品の販路を拡大し、ブルジョア階級を世界各地に走らせている。あちこちに定住し、あちこちに開発し、あちこちに連絡を取らなければならない」と指摘されている。(1)欧米の老舗先進国は軍事拡張に頼り、弱小国を自分の植民地、半植民地に変え、血生臭い略奪、原住民の殺戮、詐欺的な貿易などの残酷な手段を通じて、略奪した大量の富を利用して、独立した現代化を実現するための雄大な原始的な蓄積を提供した。

前述の通り、第二次世界大戦後、ごく少数の新興国が実現した現代化は依存的な現代化である。依存性は、西側先進国の生産基地になったり、最前線陣地（例えば米国などの軍事基地になったり）、西側金融センターの派生センターになったりすることを示している。この点、二十世紀五十年代、六十年代の依存理論が明らかになった。依存理論の主な代表的な人物はアルゼンチンのロール・プレビシュ、エジプトのサミル・アーミン、英国のA・G・フランク、米国のウォーレスタンなどだ。彼らは、世界は中心国（先進国）と周辺国（発展途上国）に分けられ、前者は

(1) マルクス、エンゲルス『マルクスエンゲルス選集』第1巻（第3版）、北京、人民出版社、2012年、404頁。

世界経済の中で支配的な地位を占め、後者は前者の搾取と制御を受け、後者は前者に依存し、周辺国の中でいくつかの依存的な現代化国家が存在していると考えている。

中国の現代化は社会主義の現代化であり、人類の歴史上の血生臭い現代化ではなく、依存性国家になる現代化でもない。一方、中国は人類の歴史上発展途上国が現代化に向かう新しい道を切り開いた。このような現代化は覇権主義の基礎の上に構築されたのではなく、平和発展の現代化である。中華民族は平和を尊ぶ民族であり、数千年の歴史上他国を侵略したことがない。これは中国社会主義現代化が平和の道を歩む基礎である。中国の現代化の道は血を浴びて闘争し、苦難を経験した後、中国人民は平和の重要性を深く知り、平和発展の道をより大切にしている。平和発展の道を歩むことは中国の特色ある社会主義理論の重要な構成部分であることを強調し、習近平総書記は「平和発展の道を歩むことは、中共が時代の発展の流れと中国の根本的利益に基づいて行った戦略的選択である」と述べた。(1) この道は容易ではなく、中共が中国人民を指導して理論上と実践の中で絶えず革新し、模索して形成したものである。一方、中国の社会主義現代化は平和発展の現代化であり、世界の範囲内で注目を集めており、中国の特色ある社会主義理論研究の高さから分析しても、国際戦略の視角から考えても、平和発展の現代化はチャンスをもたらした。中国の発展は依然として大きな重要な戦略的チャンス期にあり、世界構造の多極化に伴い、

(1)「国内外の二つの大局をよりよく統一的に計画し、平和発展の道を歩む基礎を固める」、人民日報、2013年1月30日。

国際と周辺環境は日増しに複雑になり、科学技術は急速に発展し、中国の特色ある社会主義現代化は平和発展の道を大いに前進している。習近平総書記は「世界の繁栄と安定は中国のチャンスであり、中国の発展も世界のチャンスだ」と指摘した。(1) そのため、中国は平和の基礎の上で社会主義の現代化を発展させ、利益を追求し、害を避け、経済のグローバル化に積極的に参加し、覇権主義に反対し、自分を厳格に制約し、発展してからも永遠に覇権を主張しない。新時代は中華民族の偉大な復興という中国の夢を実現する時代である。二〇一四年三月二十七日、中国とフランスの国交樹立五十周年記念大会で、習近平総書記は「中国の夢は平和を追求する夢だ」と強調した。(2) 同時に、「歴史は、中国の夢を実現することが世界にもたらしたチャンスが脅威ではなく、平和が動揺しているのではなく、進歩が後退しているのではないことを証明するだろう」と指摘した。(3)

(二)　新時代の中国の偉大な社会変革は現代化の「型版」である

新時代の中国の偉大な社会変革は国外の現代化発展のコピーではなく、その独特な優位性は社会主義の現代化である。現代中国の偉大な社会変革は現代化の一般法則、社会主義現代化の普遍法則と中国社会主義現代化の特殊な法則を深く把握する「型版」である。この「型版」は特殊性、

(1)　「国内外の二つの大局をよりよく統一的に計画し、平和発展の道を歩む基礎を固める」、人民日報、2013年1月30日。
(2)　習近平「中国とフランスの国交樹立五十周年記念大会での演説」、人民日報、2014年3月29日。
(3)　同上。

並列性の特徴を持ち、独立した基礎の上での「四つの現代化（工業の現代化・農業の現代化・国防の現代化・科学技術の現代化）の重畳」現代化であり、また人民を中心とした現代化である。

中国社会主義現代化の特殊性――それは独立した基礎の上での現代化である。中国社会主義現代化は独立した現代化であり、中共が中国人民を率いて国家独立の基礎の上で模索した活気に満ちた現代化の道である。中国の特色ある社会主義は国家の独立性と主権の安全を十分に保障することができる。二〇一四年八月二十日、鄧小平生誕一一〇周年を記念する座談会で、習近平総書記は「中国の特色ある社会主義は中国の国情に適合し、中国の特徴に合致し、時代の発展要求に順応する理論と実践であるため、成功を収めることができ、引き続き成功を収めることができる」と指摘した。[1] 中国の特色ある社会主義は道路、理論、制度、文化の独立であり、またこれは中国社会主義現代化の基礎であり、民族工業の繁栄と復興、現代化国民経済と国防工業体系の確立、中国社会主義現代化のプロセスを決定する前提でもある。独立した基礎の上の現代化は中国が国外の現代化国家で世界経済危機、政治危機と社会危機に遭遇した時、自身の発展の持続的な動力を維持することができる。

中国社会主義現代化の並列性――それは「四つの現代化の重畳」の現代化である。習近平総書記は「中国の現代化は西側先進国とは大きく異なる。西側先進国は『直列式』の発展過程であり、

(1) 中共中央文献研究室『十八大以来の重要文献の抜粋』(中)、北京、中央文献出版社、2016年、48頁。

工業化、都市化、農業の近代化、情報化の順に発展し、現在のレベルまで発展するのに二百年以上の時間を費やした。中国は後に上位に立って、『失った二百年』を取り戻し、中国の発展が必然的に『並列式』の過程であることを決定した工業化、情報化、都市化、農業現代化は重ねて発展している」と述べている。(1) 中国社会主義現代化の並列性は、「四つの現代化の重畳」で概括することができる。「四つの現代化の重畳」は中国社会主義現代化実現のカギであり、工業化は情報化の前提であり、都市化の発展を推進させ、農業現代化のレベルを高めた。情報化は工業化の発展を促進しただけでなく、都市化の加速発展を促進し、農業現代化の効率を高め、国家の管理システムと管理能力の現代化を推進した。都市化は工業化に市場を、情報化の発展に空間を、農業現代化の発展に担体を提供した。農業の現代化は工業化に労働力資源を、情報化の発展に挑戦を、都市化に基礎条件を提供し、これは「四つの現代化の重畳」の中で最も弱い一環であり、農業供給側の構造改革を深く推進することによって、この「四つの現代化」の短所を補うことができる。「四つの現代化の重畳」は現代化建設の各段階、各方面の協調発展を促進し、新興産業とサービス業を発展させ、伝統産業のミドル・ハイエンドへの邁進を促し、市場メカニズムの役割を発揮し、産業化のイノベーションにより新たな成長点を育成、形成する。

（1）中共中央文献研究室『習近平の社会主義経済建設に関する論述の抜粋』、北京、中央文献出版社、２０１７年、１５９頁。

五　中国の偉大な社会変革「型版」の世界意義

中共十九大の報告では、二〇二〇年に全面的な小康社会を建設した後、強国の戦略を「二つのステップ」で行うことが初めて提案された。中国は「二つの十五年」を再奮闘する。二〇三五年までに「社会主義現代化を基本的に実現」し、さらに十五年間奮闘し、今世紀半ばまでに民主文明に豊か調和のとれた美しい社会主義現代化強国を建設するといったものだ。この「二つのステップ」目標の出現は、中国社会主義現代化の必然的な結果である。一連の強国戦略を実施することによって、中国を社会主義現代化強国へと築き上げる。社会主義現代化強国は人類のために新しい現代化モデルを創造し、新しい視野で現代化の一般法則、社会主義現代化の普遍法則と中国社会主義現代化の特殊法則に対する認識を深化させ、私たちの中国社会変革に対する認識を新しいレベルに達させ、人類の現代化建設の新たな道のりを開いた。

これは大多数の人民大衆のために発展の舞台を提供し、少数の人のために舞台を占領する現代化ではない。中共第十八期中央委員会第五回全体会議（五中全会）で採択された「第十三次五年計画」では革新、協調、エコ、開放、共有という「五大発展理念」が提出され、その中で「共有」の発展は「公平」を強調した。中共十九大の報告では、新時代は全中国人民共同の富裕を徐々に実現する時代であり、人民大衆を中国の現代化建設に参加させ、人民大衆に現代化の成果を共有させることであると指摘した。新時代の中国の特色ある社会主義は人民を中心とした現代化建設の全過程を貫き、各方面の現代化に体現される。社会主義現代化強国の成果は全中国人民が共有し、社会対抗性の発生の根源を根本的に解消し、個人の利益至上による社会利益の分立、およびこれによる利益対抗を解消した。社会主義現代化強国は共同富裕を現代化を実現する目標として追求し、分配格差を縮小し、両極分化を避け、現代化発展の成果をより公平に全人民に恩恵をもたらす。

これは公有制を主体とし、多種の所有制経済が共同で発展した上での現代化であり、生産資料の個人占有を基礎とする現代化ではない。公有制を主体とした、所有制経済の共同発展は社会主義基本経済制度の核心要素であり、中国の特色ある社会主義生産関係の制度的表現である。公有制を主体とすることを堅持し、非公有制の発展を促進し、社会主義現代化建設の過程を統一する。一方、中国は依然として社会主義の初級段階にあり、生産力の発展は不均衡であり、現代化建設においては公有制を主体とする条件の下で様々な所有制経済を発展させ、各方面の積極性の発揮、資源の十分な利用を行い、市場主体の活力を奮い立たせ、生産力の発展を促進する必要がある。一方、公有制を主体とする現代化は、生産資料の個人占有に基づく現代化ではなく、広範な人民のために福祉を図る現代化である。

資源消費・環境汚染を減らし、持続可能な成長を実現し、中国経済を安定させ、成長させる。これは最小限の資源で最大の利益を創造し、それによって社会資源を節約する現代化である。中国は数十年の時間をかけて国外の現代化国家の数百年の道を歩み終え、他の現代化国家よりも小さい代価を払い、他の国よりも良い成果を収めた。どうしてこのような成果を上げることができるのか?重要な要因のうちの一つは社会主義社会が持続的に生産力を解放し発展させ、資本主義の周期的な危機がもたらした社会資源に対する巨大な破壊を避けることができることである。中国の特色ある社会主義は中国の国情に基づき、生産力の発展に合わない生産関係と上部構造を改革し、生産力の発展のために障害を取り除き、生産力の発展を促進させる。各方面の体制・メカニズムの弊害を打破し、社会全体のイノベーションと起業の活力を奮い立たせ、現代化の建設において、緑水青山は金山銀山であるという理念を確立・実践し、グリーン循環の低炭素成長を実現し、人間と自然が調和して成長する現代化建設の新しい構造を形成する。生産、流通、消費などの分野で、資源利用率を高め、資源消費・環境汚染をより少なくし、持続可能な成長を実現し、中国経済に安定した成長をもたらす。習近平総書記は何度も「我々が求めているのは品質があり、利益があり、持続可能な成長である」と強調している。(1) 社会主義現代化は最も少ないお金で、最大のことをし、最も広範な人民のために最も良いことを行うのである。

(1) 中共中央文献研究室『十八大以来の重要文献の抜粋』(中)、北京、中央文献出版社、2016年、245頁。

第六章　偉大な復興のための「婁山関《ロウシャンカン》」(1)

――未来に向けて、中国が解決しなければならない重大な問題

習近平総書記は楊万里の「松源を通り過ぎ、漆公の旅館で朝の炊事をした時に」の詩句を引用し、中国が今後問題に直面する複雑さと困難性を説明した。

峰を下れば、もうこれで難儀はないなどと言ってはならない。
それは、旅人をだまして、間違って喜ばせることになる。
今まさに、万山の圏子の中に入ったのだ。

(1) 貴州省の遵義の北にある婁山にある要衝。一九三五年二月、長征途上、この年の一月初めに、中央紅軍が烏江を強行渡河し、遵義を占領した。その地で「遵義会議」を開き、毛沢東が中共中央委員会政治局常務委員に選出され、中共の最高指導者となり、紅軍の軍事前敵指揮権を得た劃期的な時期。(訳者注)

一つの山から抜け出したと思ったら、また一つの山につかまえられる。

中国が直面しなければならないリスクと挑戦はまだたくさんある。二〇一八年七月三日から四日まで、中国全国組織工作会議が北京で開催され、習近平総書記が会議に出席し、重要な演説を発表した。特に、新時代において、中共が中国人民を指導して偉大な社会革命を行い、分野の広範性、利益構造の調整の深刻性、矛盾と問題にかかわる鋭さ、体制・メカニズムの障害を突破する困難性、偉大な闘争を行う情勢の複雑性は、これまでにないと指摘した。

一　社会の主要な矛盾の変化に適応し、人民大衆のすばらしい生活に対するあこがれをよりよく満たす

中共十九大の報告によると、中国の特色ある社会主義は新時代に入り、中国の社会の主要な矛盾はすでに中国人民の日々増加する生活需要と不均衡・不十分な発展間の矛盾に転化した。中国は十数億人の衣食問題を安定的に解決し、全体的な小康を実現し、中国人民の日々増加する生活需要、物質文化生活に対するより高い要求に限らず、民主、法治、公平、正義、安全、環境などの面での要求を満たせるよう、中国はこうした新しい変化を把握しなければならない。

㈠　中国の改革開放から四十年以上、需要の分野は広がった。中国人民が必要とする内包と分

野は拡大し、基本的な物質の需要から多様化の需要に拡大している

習近平は、「中共の根幹は人民にあり、力は人民にある。現在、人民大衆のすばらしい生活へのあこがれは民主、法治、公平、正義、安全、環境などの面にさらに広がっている」と指摘した。それ以外に、中国人民大衆の物質文化が必要とする新しい成長分野は養老サービスである。ここ数年、中国の人口構造に重大な変化が発生し、高齢者人口の比重が上昇し、養老に対する需要は急激に増加したが、高齢者サービス産業の発展はまだ遅れている。中国の具体的な目標は、二〇二〇年までに、養老サービス市場が全面的に開放され、養老サービスと製品の有効供給能力が大幅に向上し、供給構造がより合理的になり、養老サービス政策法規体系、業界品質基準体系がさらに完備し、信用体系が基本的に確立され、市場監督管理メカニズムが有効に運行され、サービス品質が明らかに改善され、大衆満足度が著しく向上することである。養老サービス業は経済社会の発展を促進する新しい原動力となっている。

(二)　改革開放から四十年以上、需要の質は向上した。中国人民の需要は日々増加し、このような成長は内容の拡張だけでなく、品質の向上も必要である

中共十八大以前、中国が解決しなければならないのは「あるかどうか」といった問題であったが、新時代に入り、中国が解決しなければならないのは「良いかどうか」といった問題である。習近平総書記は二〇一七年の「七・二六」演説で八つの「より」を述べ、それぞれの「より」には品質の要求が含まれている。より良い教育は、教育の質と教育レベルを高めることを意味するだけ

でなく、教育資源にできるだけ相対的な均衡化分配を実現させせなければならない。より安定した仕事は、より多くの雇用があることをだけでなく、より質の高い雇用があることを意味する。より満足できる収入は、住民の収入が持続的に増加することだけでなく、所得格差が徐々に縮小することを意味する。より信頼できる社会保障は、保障の範囲と程度が絶えず向上することだけでなく、公平性の強化、流動性の適応、持続可能性の保証を意味する。より高いレベルの医療衛生サービスは、病院の医師の診療レベルを高めることだけでなく、医療衛生資源が相対的に均衡化した分配を実現できることを意味する。より快適な居住条件は、広範な大衆の住宅問題を徐々に解決することだけでなく、できるだけ大衆の住宅面での支出を下げ、負担を下げなければならないことを意味する。より優美な環境は、スモッグなどの際立った環境問題を治めるだけでなく、緑水浄水などの問題を解決しなければならない事を意味する。より豊かな精神文化生活は、大衆の基本的な文化需要を満たすことだけでなく、中国人民の精神文化生活を絶えず新しい段階に踏み出すことを意味する。

㈢　改革開放から四十年以上、需要の環境は優美になった。人民大衆の生態環境は絶えず向上し、個性化の特徴を呈する必要がある。

二〇一三年九月七日、習近平総書記はカザフスタンのナザルバエフ大学で講演し、学生の質問に答え、環境保護問題について話した際に、彼は「我々は『緑水青山・金山銀山』のどちらも必要だ。緑水青山さえあれば金山銀山はなくてもいいが、緑水青山は金山銀山そのものだ」と指摘した。中国人民の綺麗な空気、澄んだ水質、清潔な環境などの生態製品に対する需要はますます切実になり、良好な生態環境はますます貴重になった。中国人民の良好な生態環境に対する期待はますます高まっている。中共十九大の報告によると、「我々が行なわなければならない現代化は人と自然が調和共生する現代化であり、人民の日々増加する生活需要を満たすためにより多くの物質的な富と精神的な富を創造しなければならないだけでなく、人民の優美な生態環境の需要を満たすためにより多くの良質な生態製品を提供しなければならない」という。二〇一八年六月二十四日に発表された「中共中央・国務院は生態環境保護を全面的に強化し、汚染防止の難関攻略戦を徹底的に行うことに関する意見」では、良好な生態環境を人民の幸福な生活の成長点とし、経済社会の持続的かつ健全な発展の支えとなり、中国の良好なイメージを示す発力点となっていることが指摘された。

㈣　改革開放から四十年以上、需要の内容は更に主観化し、人々の主観はますます重要になった

すばらしい生活は人民の客観的な需要を満たすことを意味するだけでなく、人民の主観、すなわち人民大衆の獲得感、幸福感、安心感にも注意しなければならない。人民の基本的な物質文化の需要が満たされた後、主観性の需要、特に心理の需要はますます重要になっている。習近平総書記は二〇一八年四月二十七日、中国に訪れたインドのモディ首相に対し、『あるかどうか』という問題を代々解決してきた。階段の排波式消費の過程を経て、まず自転車、ミシンの問題を解

決し、それからテレビ、冷蔵庫の問題を解決し、それから家、自家用車などの問題を解決し、今では個性化、多様化、小ロットの需要段階に入っている。満腹になっては、また食べなければならず、食べ終わればとても心地よく、心の中は美しく……これはまるで韓非子が描いた『法は朝露のように、純朴で散らばらず、心は恨みがなく、口には煩わしい言葉がない』といった理想主義の国家と社会景観——『至安の世』のようである」と話した。

二　質の高い発展を推し進め、中国経済を時代の潮流に勇立させる

㈠　新しい工業の建設は既に全ての文明民族の死活問題となっている

マルクス主義は、物質生産力はすべての社会生活の物質的な前提であり、生産力は社会の進歩を推進する最も活発で、最も革命的な要素であると考えている。生産力を発展させる上で、非常に重要なのは現代化した大工業を発展させ、製造強国を建設することだ。百七十年以上前、マルクスとエンゲルスは「共産党宣言」で、古い民族工業が消滅し、毎日消滅していることを明確に指摘した。それらは新しい工業に排斥され、新しい工業の設立は既に全ての文明民族の生死にかかわる問題となっている。

世界経済発展の法則から見ると、強大な国には製造業の基礎があるに違いない。一九八〇年代半ばを振り返ると、当時の米国の製造業の覇者の地位は日本の挑戦を受け、鉄鋼、自動車、家

電、ストレージチップ産業の停滞を目の当たりに、当時の米国人は「失われた優位性を取り戻す」と誓った。一九八六年下半期、米国マサチューセッツ工科大学は多くの学科の技術専門家、経済学者と管理学者を集め工業生産率委員会を構成し、数十人の専門家と学者が三年間の調査と研究を経て、わずか八つの業界調査だけで二百以上の世界的な大企業、五百五十人の専門家を訪問し、一九八九年に「米国製造」という研究成果を形成した。結論は「一つの国がうまく暮らすためには、よく生産しなければならない」ということだ。その後、世界的に有名な企業家、米中貿易委員会の議長、ダウ・ケミカル会長兼CEOのアンドリュー・リバリス氏は「メイド・イン・アメリカ――アメリカの製造業を立て直す」という本を出版し、ダウ・ケミカルを例に、製造業のポストが流出し、一つの国や都市が長期的に設計を維持できないことを指摘した。研究開発と企業本部は、長期にわたって製造から離脱し、その研究開発能力が萎縮し、「知的財産権の発生はない」としている。ハーバード・ビジネス・スクール教授のガリー・ピサノ氏と同大学ビジネス・スクール教授のシー・ウィリー・C氏は、「製造繁栄――米国はなぜ製造業の復興が必要なのか」という本を出版し、製造業の極端な重要性を強調した。米国マニトバ大学のワコラフ・スミル終身名誉教授は二十一世紀の二番目の十年の初めに「米国製造――国家繁栄はなぜ製造業から離れられないのか」という本を出版し、米国製造史の観点から、異なる歴史段階の製造業が米国の台頭・繁栄を推進する上で果たしたかけがえのない役割を明らかにした。米国は今日の世界のハイエンド製造業で主導的な地位を持っており、その経済統制力は巨大である。ボーイング社が発表した二〇一四年の製品カタログによると、ボーイング787機一機当たりの価格は二億五七一万ドルで、当時一ドルで六・二元に両替した為替レートで計算すると、人民元に換算すると約十五億九四〇〇万元だった。

中国は製造業、特にハイエンド製造業で先頭に立たなければならない。二〇一五年に国務院が発表した今後十年間の製造業発展のロードマップ「中国製造二〇二五（メイド・イン・チャイナ2025）」は、製造業は国民経済の主体であり、立国の本、興国の器、強国の基礎であると指摘した。十八世紀中葉に工業文明が開かれて以来、世界強国の興衰史と中華民族の奮闘史は、強大な製造業がなければ、国家と民族の強盛がないことを何度も証明してきた。中国はより多くの国内メーカーに頼り、中国製造から中国創造への転換、中国速度から中国品質への転換、中国製品から中国ブランドへの転換を実現し、中国製造が大きく強くなる戦略任務を完成し、「三歩走（三段階発展）」を通じて製造強国の戦略目標を実現するよう努力しなければならない。「三歩走（三段階発展）」の第一歩は十年の時間をかけて、製造強国の仲間入りを目指すことだ。二〇二五年までに、製造業全体の素質が大幅に向上し、革新能力が著しく強化された。第二歩は二〇三五年までに、中国の製造業全体を世界の製造強国陣営の中等レベルに到達させることだ。そして第三歩では新中国成立一〇〇年の時、製造業大国の地位はさらに強固になり、総合実力は世界の製造強国の前列に入る。現在、米国は中国の製造に様々な障害を設けており、中国は戦略を揺るぎなく貫徹し、決して中途半端にしてはならない。

㈡　時間経済を発展させ、空間経済を時間経済に転換する

マルクスは資本の時間性を非常に重視している。マルクスは「商品を一つの場所から別の場所に移すのにかかる時間を最小限に抑える。資本が発展すればするほど、資本が流通する市場を借り、資本空間の流通の道を構成する市場が拡大し、資本は同時に空間的に市場をさらに拡大し、時間をかけてより多くの空間を消滅させることを追求する」と指摘した。[1] マルクスはまた、「生産は交換価値を基礎としている為、交換を基礎とマルクスはまた、「生産は交換価値を基礎としている為、交換を基礎とし、交換の物質的条件である交通輸送手段は生産にとって重要である。資本はその本性によって、すべての空間的限界を超えている。そのため、交換の物質的条件である交通輸送手段は資本にとっても極めて必要である」と書いている。[2] では、時間経済とは何だろう？時間経済は以下のいくつかの点を含む。

第一に、タイムゾーン経済は、タイムゾーンの相互補完を基礎として取引性経済を発展させる。ロンドン、ニューヨーク、東京の三大都市が共同で二十四時間眠れない夜を構成し、「眠れない資本」に世界的な運営のプラットフォームを提供し、世界三大証券市場が形成された。ウォールストリート、金融都市、新宿の間には完全な金融チェーンが構成されている。二〇一〇年九月、

（1）マルクス、エンゲルス『マルクスエンゲルス全集』第46巻（下）、北京、人民出版社、１９８０年、33頁。
（2）同上書、16頁。

中国中央テレビはテレビドキュメンタリー「ウォールストリート」を放送した。ニューヨーク証券取引所は一日の取引を終えたが、ウォールストリートの人の仕事は止まらず、三時間後にアジア証券取引市場の開場の鐘がまず東京で鳴り、十一時間後にロンドン取引市場も沸騰し始めた。経済のグローバル化の時代、資本は時空の束縛を脱し、より広い金融星で動いていた。

第二に、タイミング経済である。日常の経済活動は八時間の労働時間の牽引と派生の経済活動に限らず、十分に長い経済活動を延長し、特に夜間の経済活動が非常に活発で、さらに絶えず新しい経済成長点を生み出し、人々の夜間の消費に適した経済形態を発展させ、より多くの人が夜間に生産と消費を行うことができるようにした。一般的に、人々の行動習慣から見ると、夜間の消費能力は昼間より大きい。私たちのある都市は既に夜間経済の発展を重視し始めた。二〇一七年十一月、中国南京市は「市政府弁公庁の夜間経済発展の加速に関する実施意見」を発表した。この意見では、夜間経済の繁栄度は都市経済の開放度、活発度の重要な標識であり、現代都市経済を発展させる重要な内容であることが指摘された。

第三に、タイムチェーンを振り切る電子取引プラットフォームを発展させ、取引を終始二十四時間運行させ、ウィーチャットペイ（Wechat Pay）、アリペイ（Alipay）のような取引方式をさらに完備させ、発展させ、より迅速で、安全なものとする。

第四に、単位時間の経済効果を向上させる知識密集型サービス業を発展させるという点が挙げられる。二〇一六年五月、中共中央と国務院は「国家イノベーション駆動発展戦略要綱」を印刷・

配布し、二〇二〇年までにイノベーション型国家の仲間入りを果たし、科学技術進歩の貢献率を六〇％以上に引き上げ、知識密集型サービス業の増加値が国内総生産の二〇％を占めることを初めて提案した。知識密集型サービス業とは、弁護士事務所、会計士事務所、格付け機関、ベンチャー企業を含む生産性サービス業である。これらのサービス業の単位時間の経済効果は非常に高い。例えば、二〇一七年度、ウィリアム・バークレイ・ピートの世界総収入は二百六十四億ドル、デロイト トウシュ トーマツ リミテッドは三百八十八億ドル、プライスウォーターハウスクーパースは三百七十七億ドル、アーンスト・アンド・ヤングは三百十四億ドルで、合わせて千三百億ドルを超え、八千億元以上に換算された。二〇一八年度、上記の四つの会計士事務所の売上高は一兆元を超えている。

三　共同発展を実現し、「大きなケーキ」を分け合って食べる

習近平総書記は人民大衆の共有問題を非常に重視している。彼は二〇一三年十一月十二日、「一つの時期にはその時期の問題がある。発展レベルの高い社会には発展レベルの高い問題があり、同時発展レベルの低い社会には発展レベルの低い問題がある。『ケーキ』は絶えず大きくなり、同時に『ケーキ』をよく分けなければならない。中国の社会にはこれまで『寡きを患えずして均しからざるを患う』という観念があった。我々は絶えず発展した上で、できるだけ社会の公平と正義

を促進しなければならない。すべての人民が学んで教え、苦労して得たもの、病気があれば医者があり、養老、居住問題などで持続的に新しい進展を遂げるように努力する」と話した。[1]「共有」は中国の特色ある社会主義の本質的な要求である。新しい発展理念の一つとして、「共有発展」の科学的内包は以下の通りである。⑴共有は全国民の共有であり、共有発展は誰もが、それぞれの場所で享受するものであり、少数の人が共有し、一部の人が共有するものではない。⑵共有は全面的な共有であり、共有発展は国家経済、政治、文化、社会、生態の各方面の成果を共有し、人民の各方面の合法的な権益を全面的に保障しなければならない。⑶共有は共同建設と共有であり、共同建設は共有することができ、共同建設の過程も共有の過程であり、民主を十分に発揚し、広く民智を集め、民力を最大限に引き出し、誰もが参加し、誰もが尽力し、誰もが達成感のある生き生きとした局面を形成しなければならない。⑷共有は漸進的な共有であり、共有の発展には必ず低級から高級、不均衡から均衡への過程があり、高いレベルに達しても差がある。では、このような共有発展の新しい局面をどのように実現すればいいのだろうか。

㈠　改革を絶えず深化させ、「ケーキ」を大きくし、全人民が共有することが現実である

共有発展の目標は全人民の共同の努力を通じて、発展の成果を全ての個人に与え、一人一人が

（1）中共中央文献研究室『習近平の全面的な小康社会建設に関する論述の抜粋』、北京、中央文献出版社、2016年、135頁。

平等に発展と進歩の機会を享有し、外部環境による個人の発展の機会の不平等を減らし、誰もが本当に同じラインに立ち、まだ裕福になっていない人々を豊かにし、最終的に共同の富を実現することである。共有発展は「東の壁を壊して西の壁を補う」ような「多」で「少」を補うものではなく、「少」を「多」に変えるといったものだ。そのため、「ケーキ」を大きくしなければならない。大きな「ケーキ」を作ってこそ、全人民が共有することが現実的であり、可能なものとなる。

「ケーキ」を大きくするには、「大衆による起業・万民による革新」の知恵でより大きなおいしい「ケーキ」を作らなければならない。創業イノベーションで経済構造の調整を推進し、発展の新しいエンジンを作り、発展の新しい原動力を強化し、これによって安定的に成長させ、就業を拡大し、億万人の知恵と創造力を奮い立たせ、社会の縦方向の流動と公平と正義の実現を促進する。科学技術イノベーションのリード作用と科学技術人員の中堅的役割を十分に発揮し、大衆の無限の創造力を最大限に奮い立たせる。「互聯網＋（インターネットプラス）」というプラットフォームを頼りに、大衆の力を集中させ科学の進歩と技術の革新を推進し、科学技術の成果の転化通路をスムーズにし、革新成果と産業発展のドッキングプロセスを短縮し、科学技術の発展と人衆の創造力がより広い範囲、より深いレベル、より高いレベルで融合することを実現し、経済発展に新たな力と活力を注入し、経済発展の新たな原動力を形成する。

「ケーキ」を大きくするには、社会主義初級段階の基本経済制度を完備させ、より魅力的な「ケーキ」を作らなければならない。公有制を主体とし、さまざまな所有制経済の共同発展を含む基本経済制度を実行することは、中国の特色ある社会主義制度の重要な構成部分であり、経済成長を推進する重要な原動力である。公有制経済は中国の国家建設、国防安全、人民の生活改善に際立った貢献をし、これは中国人民の貴重な財産となる。公有制経済を発展させるには中国国有経済の活力、制御力、影響力を絶えず強化し、広範な民衆に実質的な利益をもたらさなければならない。非公有制経済は社会主義市場経済の重要な構成部分であり、中国の経済社会発展の重要な基礎でもある。非公有制経済の発展は全員が力を合わせ、全員が薪を拾うといった炎の高い局面を形成することができる。

「ケーキ」を大きくするには、供給側の構造改革を推進し、「生産能力の除去、在庫の除去、レバレッジの除去、コストの削減、短所の補充」を実現し、高品質の「ケーキ」を作らなければならない。生産分野から良質な供給を強化し、無効な供給を減らし、有効な供給を拡大し、供給構造の適応性と柔軟性、全要素の生産率を高め、供給システムを需要構造の変化によりよく適応させ、生産活力、生産力レベルを高める。中国人民の生活水準が高まることに従い、中国の住民の消費方式と消費構造は巨大な変化が発生した。ハイエンドの贅沢品を追求することから次第に高品質の日用品へと移行したが、中国国内の供給市場は直ちに消費構造の変化に追随していない為、多くの中国国内の民衆は出国し高品質の日用品を購入する。そのため、供給側（サプライサイド）の構造改革を通じて、供給の適応性と柔軟性を高め、有効な供給能力を高めなければならない。供給と消費の完璧なドッキングを実現し、消費能力、消費市場の流出を防止し、供給で消費に適応し、消費で経済の持続的な成長を促進させる。

㈡「ケーキ」を分けるのも科学であり、体制を整えてこそ「ケーキ」を分けることができる「ケーキ」を分けるのも科学であり、共同と共有を基本原則とし、体制・メカニズム・制度・政策の上で系統的に計画しなければならない。

分配制度を完備させ、収入分配の構造を調整し、貧富の格差を縮小させる。現在、中国の貧富の格差は依然として大きい。共有発展を実現するには、所得格差を縮小し、制度政策を通じて所得格差を合理的な区間に縮小し、合理的な所得分配構造を形成しなければならない。まず、市場評価要素の貢献を改善し、貢献によって分配するメカニズムを完備する。科学的な賃金水準決定メカニズム、正常な成長メカニズム、支払い保障メカニズムを健全にし、企業の賃金集団協議制度を推進し、最低賃金成長メカニズムを完備する。高技能人材報酬体系を健全にし、技術労働者の待遇を高める。機関・事業体の特徴に適応する賃金制度を完備する。知識価値の増加を導きとする分配政策を実行し、革新人材の株式、オプション、配当激励を強化する。科学研究人員の成果転化収益分配割合を高める。収入分配政策の激励作用を発揮し、都市と農村住民の財産性収入を多ルートで増加させる。次に、再分配・調節メカニズムを健全にする。所得格差の縮小に有利な政策を実行し、低所得労働者の収入を明らかに増加させ、中所得者の比重を拡大する。最後に、合法的な収入を保護し、隠性収入を規範化し、権力、行政独占などの非市場要素で収入を得ることを抑制し、不法収入を取り締まる。

社会分野の改革を深化させ、人民大衆が「ケーキ」を分ける機会とルートを広げる。これは主に以下のいくつかの方面を含む。階層、職業、地区、都市と農村の障壁を打ち壊し、社会全体の人員が各階層、各地区、都市と農村の間でよりスムーズに自由に流動することができ、より多くの発展の機会可能性を得ることができるという点、そして資産収益扶助制度を模索し、土地の託管、資金の割引量子化、農村土地経営権の入株などの方式を通じて、貧困人口により多くの資産収益を分配するという点、また貧困地区で水力発電、鉱物資源を開発し集団土地を占有した場合、原住民の集団株式を試行的に補償し、資源開発収益の分配メカニズムを完備させ、貧困地区により多くの開発収益が分け与えられるようにするといった点だ。

㈢　基本公共サービスの均等化を推進し、「頂層設計」（中央政府上層部がトップダウンで統括的に策定する）から「最後の一キロ」（最後の重要なステップ）までの仕事をしっかりと行う

共有発展の実行は大きな学問であり、「頂層設計」から「最後の一キロ」までの仕事を厳密に行い、実践を繰り返し新しい効果を得なければならない。

その一方で基本公共サービスの均衡化を推進しなければならない。現在、中国の基本公共サービスの発展の不均衡問題は際立っており、基本公共サービス製品の供給（教育、医療、養老など）の分配が不均衡で、地域間、都市と農村間の基本公共サービスレベルの差が大きい。共有発展を実現するには、まず、社会保障制度を確立し、健全にしなければならない。社会保障制度は現代国家の重要な社会経済制度であり、社会文明の進歩の重要な基準の一つでもある。習近平総書記

は、「我々はより公平で持続可能な社会保障制度を確立し、都市部の従業員の基本養老、都市部と農村部の住民の養老、都市部の基本医療、失業、労災、出産などの保険を完備させ、社会救助を強化し、社会福祉レベルを高めなければならない」と指摘した。次に、基本公共サービスの供給均等化を大いに推進し、基本公共サービスの供給レベルを保障し、地域、財政の制限を打破し、各地の人民が均等に基本公共サービスを享受できるようにしなければならない。最後に、中国の財政保障の基本公共サービスの資金源は、特に西部、農村などの公共サービスが深刻に欠けている地域に傾斜し、これらの地域の公共サービスのレベルと質を高め、全中国人民の真の共有を実現しなければならない。

その一方で、貧困家庭、特に農村家庭の貧困問題を確実に解決しなければならない。習近平総書記は「小康社会を全面的に建設し、一つ目の『百年奮闘目標』を実現するには、農村の貧困人口がすべて貧困から脱却することがシンボル的な指標である。この問題について、私はずっと考えていて、ずっと強調している。心の中でまだ底を突いていないからだ。だから、小康かどうかを判断するうえで、肝心なのは故郷を見て、貧困の故郷が貧困から脱却できるかどうかを見ることだ」と指摘している。[1]現在、中国の貧困脱却の任務は非常に困難であり、この問題を解決する

（1）　中央文献研究室『習近平の全面的な小康社会の建設に関する論述の抜粋』、北京、中央文献出版社、２０１６年、１５４頁。

には、全局の手配を統一的に計画し、制度政策の角度から扶助し、伝統的な「灌水式」「輸血式」貧困扶助モデルを変えなければならない。貧困の根源を探し出し、貧困の根本をつかみ、病状に応じた薬を処方し、貧困扶助を正確に行う。制度政策の面から大いに扶助し、交通、水源、電力、通信などのインフラの健全化を保障する。基本的な社会保障システムを完備させ、病気による貧困と弊害による貧困の家庭に基本的な生活保障を与え、相応の救助メカニズムを確立する。産業貧困扶助、移民移転、就業移転、教育貧困扶助、健康貧困扶助、生態貧困扶助などの多くの措置を通じて貧困世代間の伝達を防止し、貧困の根源を解消する。貧困地区に対する関心と投入に力を入れ、現地の実情と特徴を結びつけ、関連プロジェクトの投資、開発、建設を行い、現地の資源を十分に動員させ、現地の優位性、地域の主観的能動性を発揮し、勤勉な奮闘を通じて貧困から脱却し、豊かになる。

四　中共の指導を全面的に強化し、中共を終始時代の前列に立たせる

(一)　民主集中制を終始堅持する

二〇一八年十二月二十五日から二十六日まで、中共中央政治局は民主生活会[1]を開催し、習近平

（1）思想の交流や批判・自己批判を行なって民主的に問題を解決するための活動。（訳者注）

は、民主集中制は中共の根本的な組織原則と指導制度であり、マルクス主義政党と他政党を区別する重要な標識であると指摘した。

この重要な論断はマルクス主義政党の建設の理論を豊富に発展させ、中共が日々強くなる根本的な原因も明らかにし、さらに中国が今後中共の指導を強化し、改善するために方向を示した。

第一に、民主集中制は中共の根本的な組織原則と指導制度であり、中共が成長し、すべての困難と障害に打ち勝つ強大な制度保障でもある。中国人民を指導して行われた百年近くの波乱万丈の壮大な過程の中で、中共党員は自己革命的な鍛造の中で絶えず偉大な革命を行う法宝を鍛え続け、その一つが中共の建設であった。新民主主義革命、社会主義革命と社会主義建設の時期に、中共の建設という偉大なプロジェクトを推進する過程で、中共は民主集中制を自身の根本的な組織原則と指導制度として確立させた。そして改革開放以来、中共の建設を推進するという新しい偉大なプロジェクトの中で、民主集中制の原則と制度を完備し、発展させた。

民主集中制の原則はマルクス主義政党の根本的な性質によって要求されている。マルクス主義の創始者は、プロレタリア階級を決定の瀬戸際で勝利を得る上で十分な強さにするには、他のすべての政党とは異なり、それらと対立する特殊な政党、自覚的な階級政党を構成しなければならないと繰り返し強調した。こうした自覚的な階級政党は個人の偶然の自由な組み合わせでもなく、中共の各級組織の簡単な総和でもない。中共党員が重なる共通認識の交差集合でもなく、特殊な利益集団の勝手な組み合わせでもない。それは中共の綱領と規約に基づいて、先進的な組織原則に従って組織された組織的な部隊である。このような先進的な組織原則は民主集中制である。こういった原則の精神は民主団結、規律統一だ。エンゲルスは一八八一年に書いた「労働者党」で、プロレタリア階級の政党は必然的に民主的な政党であり、同時に規律のある党でもあると指摘した。「イギリスでは労働者党だけが真の民主的な政党である可能性がある」(1)。毛沢東は一九六二年に「中共中央政治局常務委員や政治局にとって、よくこんなことがある。私の言うことが、正しいにしても間違っていても、全員が賛成しない限り、私は彼らの意見に従わなければならない。彼らは多数だからだ。今、いくつかの中共省委員会、地委員会、県委員会があるそうだが、このような状況がある。すべてのことは、第一書記が一人の言葉で決まる。しかしこれは間違っている。そんな馬鹿げた道理がどこにあるだろうか。私が言っているのは大きなことであり、決議があった後の日常の仕事を指しているわけではない。大事であれば、集団で討論し、異なる意見を真剣に聞き、複雑な状況と異なる意見を真剣に分析しなければならない」と話した(2)。

民主集中制は中共と中国の根本制度であり、最も便利で、最も合理的な制度であり、中共の最大の制度優位でもある。レーニンは「疲れ果てた弱く立ち後れた国が世界で最も強大な国に勝った。このような歴史的奇跡の根本的な原因がどこにあるのかを考えると、集中、規律、空前の自

(1) マルクス、エンゲルス『マルクスエンゲルス全集』第19巻、北京、人民出版社、1963年、306頁。
(2) 毛沢東『毛沢東文集』第8巻、北京、人民出版社、1999年、294―295頁。

己犠牲精神にあることがわかる」と話している。[1] 民主集中制は中共の成長と強大化の根本的な制度保障であり、すべての困難と障害に打ち勝つ根本的な制度保障でもある。この制度は中共の党内政治生活を正しく規範化し、党内関係を処理する基本準則であり、中共全体党員と中国全国人民の利益と願望を反映・体現し、中共の路線方針政策が正しく制定・実行されることを保証する、科学的・合理的・効率的な制度である。それは中共党内の民主を十分に発揚し、集中を正しく実行することを有機的に結びつけることで、中共全党の創造活力を最大限に奮い立たせることができるだけでなく、中共全党の思想と行動を統一することができ、議決が決まらず、決着がつかない分散主義を効果的に防止し、克服することができる。民主集中制は人民を団結させ、効率を高めるのに有利である。一九八七年十月十三日、鄧小平はハンガリー社会主義労働者党のカダル総書記に会った時、「民主集中制は我々の優越性でもある。この制度は西洋の民主よりも人民を団結させるのに有利である」と指摘した。[2] 民主集中制は西洋民主制よりどこがいいですか。鄧小平は、民主集中制は広範な人民大衆に共通の理想と信念を形成させ、互いの相違を克服し、強大な社会主義建設の力に凝集させるのに有利であると考えている。民主集中制は西洋の政治体制における「互いに関わり合い、議決しない、決定しない」局面を防止し、高い総効率を形成するのに

（1）レーニン『レーニン全集』第38巻（第2版）、北京、人民出版社、1986年、269頁。
（2）鄧小平『鄧小平文選』第3巻、北京、人民出版社、1993年、257頁。

有利である。

第二に、中共十八大以来、中共中央の各政策決定は民主集中制を厳格に執行し、中国は多くの長期に渡り、解決しようとしたが解決できなかった難題の解決や、過去に成し遂げられなかった大事を行い、中共と中国国家事業の歴史的な変革を推進させた。その重要な原因は中共中央の各政策決定が民主集中制を厳格に執行し、中共党内の民主を十分に発揚することを重視し、深く調査・研究し、各方面の意見を広く聴取し、繰り返し討論したことによって形成された。これに関して習近平は「我々のような大党大国をうまく管理するには、各方面の状況を把握しなければならない。これは党内の民主を発揚し、各級の党組織と広範な党員、幹部が広く民の声を聞き、民意を集めなければならない」と指摘した。

改革を全面的に深化させ、社会主義現代化を推進する過程で、中共は民主集中制の原則を堅持し、中共全党と中国全国人民の知恵を十分に集中することを強調し、人民大衆の創造の偉力を動員し、中国の特色ある社会主義と改革開放は新時代に入った。すべての重大な決定の公布は民主集中制の精髄を体現している。二〇一三年に新しい歴史的な起点として改革を全面的に深化させることに対して略的配置を行った「改革の全面的深化における若干の重大な問題に関する中共中央の決定」は民主集中制の要義を輝かせ、民主を十分に発揚し、調査研究し、科学的権威が集中する要求を終始体現している。二〇一四年に中共第十八期中央委員会第四回全体会議(四中全会)で採択された「法による国家統治の全面的推進における若干の重大な問題に関する中共中央の決定」、二〇一五年に中共第十八期中央委員会第五回全体会議（五中全会）で採択された「国民経済と社会発展の第十三次五カ年計画の制定に関する中共中央の提案」、二〇一六年に中共第十八期中央委員会第六回全体会議（六中全会）で採択された「新情勢下の党内政治生活に関する若干の準則」と「中国共産党党内監督条例」は民主集中制の要求を十分に体現している。新時代に向けた政治宣言と行動綱領である中共十九大の報告が誕生する過程は、生き生きとした民主集中制の原則が貫徹・実行される過程でもある。二〇一七年一月十七日、中共中央は各省、自治区、直轄市党委員会、中央各部委員会、国家機関各部委員会党組（党委員会）、解放軍の各部門、中央軍事委員会機関の各部門の党委員会、各人民団体の党組に「中共十九大報告の議題について意見を求める通知」を出し、中共十九大報告の議題について中共党内の一定範囲内で討論を組織することを決定した。そして、広範な意見を求めると同時に、一定の方法で党外人士の意見と提案を求める。二月上旬、起草グループの仕事の配置に基づき、九つの調査グループは十六の省・区・市に赴き、中共十九大報告の議題について調査研究を行い、各級による各種座談会を六十五回開催した。二月二十日から三月三十一日まで、中共中央が配置した二十一の重大な理論と実践問題に基づき、五十九の担当部署と部門は八十の調査研究グループを構成し、一八一七の末端部門に深く入り込んで実地調査研究を行い、一五〇一回の座談会とシンポジウムを開き、参加またはインタビューを受けた人数は二万一五三二人に登り、八十件の特別テーマ調査報告を形成した。五月下旬、二十五の国家ハイエンドシンクタンク建設試験単位は中共と中国の発展が直面している六十五の重大な理論・実践問題をめぐって深い調査研究を展開し、報告書を作り、中共十九大報告起草グループに研究参考を提供した。八月五日、中共中央は各省、自治区、直轄市党委員会、中央各部委員会、国家機関各部・委員会党組（党委員会）、解放軍の各部門、中央軍事委員会機関の各部門の党委員会、各人民団体の党組に通知を出し、中共党内の一定範囲で討論を組織し、中共十九大の報告原稿に対する意見を求めた。八月二十五日、中国各地区・各部門・各方面は中共十九大の報告原稿に対する意見の募集と提案をすべて期日通りに返し、計四七〇〇人余りに意見を求め、書面のフィードバック資料計一一八部を受け取った。中共中央指導者と中共党内の元老は三十三件の意見をフィードバックした。まとめ、整理を経て、各地区・各部門は合わせて二〇二七条の修正意見を提出し、重複意見を差し引いた後一七七三条で、そのうち原則意見一七九条、具体的な修正意見一五九四条であった。また具体的な修正意見のうち、実質的な修正意見は一二〇八条、文字的な修正意見は三八六条である。

中共の指導と中共の建設を全面的に強化する過程で、中共は民主集中制の原則を十分に実行し、中共を管理し、党を治めるゆとりのある状況を断固として変え、全面的に党を厳しく治める効果は著しい。中共十八大以来、中共は党が直面している重大なリスクの試練と党内に存在する際立った問題に勇敢に直面し、粘り強い意志と品質で規律を正し、腐敗に反対し、悪を懲罰し、中共と中国国家内部に存在する深刻な隠れた危険性を解消し、中共党内の政治生活の気象を更新させ、中共党内の政治生態を明らかに好転させ、中共の創造力、凝集力、戦闘力を強化した。このような効果を得ることができる重要な原因の一つは、中共が党の民主集中制を厳格に実行したことだ。中共は終始民主集中制の組織的優位性を強調している。二〇一四年一月、習近平は中共中央規律委員会第三回全体会議で重要談話を発表した際、「民主集中制、党内組織生活制度などの党の組織制度はすべて非常に重要であり、厳格に実行しなければならない。各級の指導部と指導幹部はみな事前に指図を仰ぎ、事後に報告をする制度を厳格に実行しなければならない」と指摘した。(1)事前に指図を仰ぎ、事後に報告をする制度は中共の政治規律の要求であり、民主集中制の原則の内在的な要求でもある。民主集中制を貫徹・実行し、厳格な事前に指図を仰ぎ、事後に報告をする制度を確立し、民主集中制の実行過程における「窓を割る効果」を防止した。習近平は、「中共の歴史的経験によると、党中央の権威と集中的な統一指導さえしっかり維持できれば、中共の事業は盛んに発展できることを強調した。さもなければ、中共の事業は挫折するのだ」と強調した。中共は民主集中制の教育・訓練と審査評価を強化し、全党が民主集中制を貫徹・実行する意識を大いに高めた。二〇一三年十月、中共中央の大衆路線教育実践活動指導グループは「習近平総書記の重要スピーチ精神を真剣に学習・貫徹した特定テーマ民主生活会を開くことに関する通知」を印刷・配布し、民主集中制の貫徹・実行を堅持し、民主集中制の教育・訓練を強化し、民主集中制の貫徹・実行状況の経常分析と審査・評価を強化することを発表した。民主集中制の執

(1) 習近平『習近平　国政運営を語る』第1巻（第2版）、北京、外文出版社、2028年、396頁。

行に力を入れ、貫徹・執行が不十分、或いは重大な偏差とミスが発生したグループと個人に対して責任を追及する。

第三に、民主集中制を堅持するには、いくつかの重大な関係をうまく処理しなければならない。中共が今いるのは、中流に入り波が強くなる、或いは登山の中盤で傾斜がもっと急になるような、入れば入るほどもっと危険になるが、退くことはできず、前進しなければならないといった状況である。中共が前進する度に、こうしたリスクの挑戦に直面し、想像もできない荒波に直面することになるのだ。ではどうやってこうした「荒波」に打ち勝つのだろうか?例えば、二〇二〇年の新型コロナウィルスの蔓延といった問題が生じた際には中共の指導の強化・改善、中共党内の民主の十分な発揮、中共中央の権威と集中統一の指導に頼った。

民主と集中の関係をうまく処理するには、十分な民主だけが個人の独断を防ぐことができ、効果的な集中だけが無政府状態を防ぐことができる。習近平は、民主集中制は民主と集中の二つの方面を含み、両者は相互条件であり、互いに補完し合い、欠けてはいけないと指摘した。中共は民主と集中を有機的に統一し、民主集中制の優位性を中共の政治的優位性、組織的優位性、制度的優位性、仕事の優位性に変えなければならない。中共十九大の報告では、民主集中制の各制度を完備・実行し、民主の基礎の上での集中と指導の下での民主の結合を堅持し、民主を十分に発揚させるだけでなく、集中・統一にも長けていることが指摘された。民主と集中は弁証統一の関係であり、対立の関係ではない。十分な民主を処理する過程は有効に集中させる過程であり、正確に集中させる過程も民主を十分に発揚させる過程である。民主主義の実行と集中を弱めるという観点から見ると、民主主義を発揚しなくてもいいという観点は正しくない。両者を本当に有機的に統一させるには、まず指導幹部の民主的な素養を高めなければならない。指導幹部は民主的な素養を指導能力として育成し、指導芸術として握らなければならない。民主的な素養は指導幹部が平等に人に接し、人と善をなす誠実な態度を持つことを意味し、特権思想に反対し、さ、自分を他の人と平等な地位に置かなければならない。民主的な素養は広い心を持ち、各方面の意見を聞くことができ、異なる意見を含め、各方面の真実の意見を完全、かつ正確に把握し、繰り返し研究・比較し、善を選んで従うことを意味する。次に、指導幹部の集中芸術を高めなければならない。正確に集中することに長け、異なる意見を統一し、様々な分散した意見の中で取捨択一できる能力を精錬し、物事の発展の法則、広範な人民大衆の根本的利益に合致した正確な意見を集中させ、科学的な政策決定をしなければならない。

集団指導者と個人の分業責任の関係をうまく処理し、集団指導者が無人指導者になること、個人の分業責任が個人の禁忌になることを防がなければならない。集団指導とは、中共の各組織が強固な集団指導組織として、党員と広範な人民大衆の意志を十分に集中できる集団であるよう要求することだ。集団指導者は責任逃れで、分業責任のない指導者ではない。集団指導者は明確な個人分業責任を前提とし、一部の党員指導幹部による主管地区の独占を禁止し、サービス分野を個人領地に変えることを断固として防止しなければならない。

この関係をうまく処理するには、まず民主集中制の原則を中共の建設制度改革に貫徹し、中共党内民主のメカニズム化とプログラム化、集中過程の規範化と標準化など、具体的な制度を確立し、健全にしなければならない。中共十八大以来、習近平総書記を核心とする中共中央はこの方面で多くの効果的な仕事を行った。二〇一三年に中共中央が発表した「中央党内法規策定工作五カ年計画要綱（二〇一三―二〇一七年）」は、民主集中制の具体化を強調し、その具体化の確立と健全化を急ぐことを提案し、中共党内の民主制度体系の構築、具体化、プログラム化を確実に推進し、民主集中制の重大な原則をはっきりとさせた。二〇一四年八月二十九日に中共中央政治局会議が審議・採択した「党の建設制度改革を深化させる実施案」は、民主集中制制度の具体化を改めて述べた。会議では、中共の組織制度改革は、民主集中制を堅持し、完備させ、党内生活を厳格にし、党内の民主制度体系をさらに健全化し、完備させることに重点を置くことが強調された。次に、民主集中制の貫徹・実行はすべての党員の政治的責任であり、一人一人が自覚的に民主集中制の意識を確立しなければならないと強調した。習近平は、民主集中制の貫徹・実行は中共全党共通、中でも各級の指導幹部、特に中共中央政治局員の政治的責任で、全員が率直な役割を発揮しなければならない、と指摘した。二〇一三年十一月十五日、中共第十八期中央委員会第一回全体会議の演説で、習近平は民主集中制が中共の創造力を奮い立たせ、中共の団結統一を維持する根本的な保証であることを指摘した。民主集中制がどのように貫徹されるかは、高級幹部の行いにかかっている。各級の中共組織と指導幹部は大局観念と全局意識をしっかりと確立させ、中共中央政令の円滑化と実際の創造性に立脚して仕事を展開することを保証することを正しく処理し、いかなる地方の特徴を持つ仕事の配置も中共中央精神の貫徹を前提としなければならない。地方と部門の保護主義、本位主義を防止し、克服するには、「上に政策があれば、下に対策がある」といった現象決して許さず、命令や禁制があってはならず、中共中央の政策決定と配置を貫徹・実行する上で妥協や融通を効かすことを決して許してはならない。

㈡　社会主義市場経済を制御する能力を高める

一九九二年から中国は社会主義市場経済体制の確立を明確にし、三十年近くの発展を経て、この体制を確立しただけでなく、完備させ、市場資源の配置において決定的な役割を発揮させた。市場経済の発展は中共の建設に巨大な挑戦をもたらした。それはどのように中共を市場論理に制御されないようにするかといったことである。中共は社会主義市場経済を制御する能力を高めることを強調し、「四大試練」の中で、市場経済の試練に耐えなければならないことを明確に提起してきた。

一つは、中共党内に利益集団が現れることを防止することである。これは一〇〇年来、多くの中共党員が考えている重大な問題だ。一九二三年、ハンガリーの有名な思想家、ハンガリー共産党の指導者、ハンガリーの一九一八年ソビエト共和国の教育人民委員であり、ソビエト政権を守るために紅軍政治委員を務めたゲオルク・ルカーチはドイツのベルリンで『歴史と階級意識』という本を出版した。この本はある学者に「すべての哲学著作の中で最も影響が大きく、最も論争が激しく、最も重要な著作の一つかもしれない」と呼ばれている。フランスの哲学者であるメルロポンティは『歴史と階級意識』を西洋マルクス主義の「聖書」と称賛し、これには西洋マルクス主義の秘密が含まれている。ルカーチ氏はプロレタリア階級の内部に社会の階層が現れ、利益集団が現れるかどうかという問題について話したことがある。ルカーチ氏は「(ソ共)第二回代表大会の『プロレタリア革命における共産党の役割』に関する論綱の中では、共産党にはプロレタリア階級全体の利益とは異なる利益は何もなく、他のプロレタリア階級大衆より優れているところはプロレタリア階級全体が歩む歴史の道をはっきり理解することにある。そして、この道のすべての曲がり角では、個別の集団や職業の利益を守るのではなく、プロレタリア階級全体の利益を守ることを追求しているという『共産党宣言』の内容をほぼ一字一字復唱した」と指摘した。[1]一九二六年十月十四日、イタリア共産党の創始者であるグラムシはイタリア共産党政治局のためにソ共(ボルシェビキ)中央への手紙を起草した。グラムシはこの手紙の中で、新しい誕生した労働者国家が直面している困難と危険を詳しく分析した。

「歴史上、支配階級全体の生活条件が被支配階級と従属階級より低い一部の分子と階層を見たことがない。歴史はこのような前代未聞の矛盾をプロレタリア階級に残した。プロレタリ

(1) ルカチ『歴史と階級意識』、杜章智、任立、燕宏遠訳、北京、商務印書館、2009年、426頁。

ア階級独裁の巨大な危険はまさにこのような矛盾にあり、特に資本主義が十分に発展せず、生産力を統一できない国ではなおさらである」

「しかし、プロレタリア階級が組合の利益を犠牲にしてこのような矛盾を克服しなければ、支配階級にはなれず、支配階級になっても、階級の普遍と長期の利益のために直接的な利益を犠牲にすることができなければ、プロレタリア階級の指導権と独裁を維持することはできない」

中共はこの問題を非常に重視しており、二〇一五年十月二十九日、習近平総書記は中共第十八期中央委員会第五回全体会議（五中全会）の第二回全体会議での演説で、「中共全体党員、特に各級の指導幹部はみな党規約の中の規定をしっかりと覚えなければならない。党中央が腐敗に揺るぎなく反対することは、このような不法利益関係が党内の政治生活に与える影響を防ぎ、除去し、党の良好な政治生態を回復することであり、この仕事は早ければ早いほど、徹底すればするほどよい」と根本的な方法を述べた[1]。

二つ目は、商品交換の原則が中共の党内生活に浸透することを防止することである。二〇一四

（1）中共中央規律検査委員会、中共中央文献研究室『党の規律と規矩の厳格化に関する習近平の論述の抜粋』、北京、中央文献出版社、2016年、30―31頁。

年十月八日、習近平総書記は中共の大衆路線教育実践活動総括大会での演説で、「社会主義の市場経済を発展させる条件の下で、商品交換の原則が中共の党内生活に浸透してしまうことは否定できない。これは人の意志によるものではなく、社会の様々な誘惑が党員や幹部を巻き込み、『ぬるま湯のカエル』といった甘やかしの現象が発生し、知らず知らずのうちに、商品交換の原則に浸透してしまうのだ」と指摘した。ではどうやってこうした問題を解決すればよいのだろうか？まず、中共の党内政治生活の政治性、時代性、原則性、戦闘性を強化し、商品交換原則の中共党内生活への浸食を自覚的にボイコットし、良好な政治生態を築く必要がある。次に、制度的に官吏になることと金儲けの境界を確立しなければならない。習近平総書記は、「官吏になって金持ちになるには二つの道がある。官吏になる代わりに金持ちにならない、或いは金持ちになる代わりに官吏にならないといった道だ」と述べている。最後に、利益集団の捕虜になることを防止する必要がある。指導幹部は厳格に自律し、利益集団に「包囲猟」されないように注意し、公正・慎重で法に基づいた使用権を維持し、原則があり、限界があり、規則がある交際を堅持しなければならない。

五　改革の中で思想を解放し、新しい思想で新しい時代を推し進める

一九七八年十二月に開かれた中共第十一期中央委員会第三回全体会議（三中全会）は中国が改

革開放の新しい時期に入ることを推進した。四十数年以来、改革開放は時には雷霆万鈞の高速列車を中華の大地で疾走させ、時には天を突く火山の噴火が社会の地形を洗い流し、時には暖かいそよ風で人々の心を温めてきた。思想の解放は時には急風豪雨のように極左教条と古い観念を洗い流し、時には春風化雨で新しい理念の田園を作り、思想は改革開放の中で更新され、改革開放は思想解放の中で疾走し、両者は互いに交差し、壮大で美しい現代の「清明上河図」を描いた。

㈠　思想解放は改革開放の理論の先駆けとなる

中国の改革開放は十分な思想解放を前提としている。中共第十一期中央委員会第三回全体会議（三中全会）の前に、中国は二つの面から思想解放を行った。まず、広範な真理基準問題の大討論を行った。一九七八年五月十日、中共中央党校の内部刊行物『理論動態』は胡耀邦の監修を受けた「実践は真理を検証する唯一の基準である」という文章を発表した。五月十一日、「光明日報」は特約評論員の名義でこの文章を掲載し、新華社が中国全国に転送し、広範な幹部大衆の中で強い反響を呼び、真理基準問題に関する大討論を引き起こした。鄧小平はこの討論の重大な意義を明確に指摘している。彼は「現在行われている実践は真理を検証する唯一の基準問題に関する議論であり、実際には思想を解放するかどうかの論争でもある。この論争は行う必要があり、意義が大きいと考えられている。論争の状況から見れば見るほど、ますます重要になってくる。一つの党、一つの国、一つの民族、もしすべてが本から出発し、思想が硬直し、迷信が盛んになれば、それは前進できず、その生機は止まり、党を亡くして国を滅ぼすだろう。これは毛沢東同志が整風運動の中で繰り返し話したことだ」と述べている。[1]これは改革開放のために思想の基礎を築いた。さらに「真理基準問題に関する論争は、確かに思想路線問題であり、政治問題であり、中共と中国の前途と運命にかかわる問題だ」と強調した。[2]真理基準問題の大討論がなければ、思想の解放はなく、改革開放という荘厳な道を歩むことは難しい。次に、「思想を解放し、実事求是し、団結して前向きに見る」という政治的共通認識と社会雰囲気を形成し、改革開放に良好な社会思想の基礎をもたらした。一九七八年十一月十日、中共中央は北京で工作会議を開いた。当初会議は二十日以上と予定されていたが、実際には三十六日間開かれた。十二月十三日、中共中央工作会議で行われた閉会式で、鄧小平は「思想を解放し、事実に即して真実を求め、団結して前進する」と題した演説を発表した。今回の会議は当初間もなく開かれる中共第十一期中央委員会第三回全体会議（三中全会）のために十分な準備をしており、演説は実際に中共第十一期中央委員会第三回全体会議（三中全会）の主題報告である。この報告の核心内容は思想の解放を強調し、観念の更新を強調し、古い枠組みの打破を強調することである。鄧小平は「思想が解放されてこそ、我々はマルクス・レーニン主義、毛沢東思想を指導とし、過去に残された問題を正しく解決し、新たに現れた一連の問題を解決し、生産力の急速な発展に適応しない生産関係と上部構造を正しく改

（1）　鄧小平『鄧小平文選』第2巻（第2版）、北京、人民出版社、1994年、143頁。
（2）　同上。

革することができ、中国の実情に基づいた、四つの現代化を実現する具体的な道、方針、方法と措置を確定することができる」と述べた。中共十五大の報告では、その談話が「新しい時期の新しい道を切り開き、中国の特色ある社会主義の新しい理論を建設する宣言書」であることを明確に指摘した。今振り返れば、中共十五大の評価は非常に科学的だ。

四十数年以来、思想の解放は巨大な歴史の役割を果たした。まず、思想を解放し、中国を「左」の束縛から脱却させ、社会主義を生き生きとした改革の道に歩ませた。思想の解放は中国にマルクス主義の科学的な態度で「社会主義とは何か、どのように社会主義を建設するか」に対応させ、「貧乏は社会主義ではない」「発展が遅すぎても社会主義ではない」「人民の生活が長期に渡り低いレベルで停止していても社会主義とは言えない」という結論を出した。さらに「社会主義の本質は、生産力を解放、発展させ、搾取を消滅し、両極分化を解消し、最終的に共同の富裕に達することである」という論断を得て、社会主義事業の繁栄した発展を推進した。次に、思想を解放することは中国に社会主義建設と改革の法則を絶えず模索させ、法則に従い、法則を把握し、法則を運用する過程で中国経済社会を次々と新しい段階に躍進させるということだ。我々は実事求是の思想路線を強調し、「石を触って川を渡るのは法則を触ることだ」と強調した。二〇一二年十二月三十一日午後、中共第十八期中央委員会政治局が改革開放を揺るぎなく推進することについて第二回集団学習を行った時、習近平総書記は「石を触って川を渡ることは、中国の特色に富み、中国の国情に合致する改革方法である。石を触って川を渡ることは法則を触って、実践の中から真知を得ることである。石を触って川を渡ることと最上階の設計を強化することは弁証の統一であり、局部の段階的な改革開放を推進するには『頂層設計』（中央政府上層部がトップダウンで統括的に策定する）を強化する前提の下で行い、『頂層設計』を強化するには局部の段階的な改革開放の基礎計画を立てる必要がある」と指摘した。四十数年以来、中国は中共の執政法則、社会主義建設法則、人類社会の発展法則及び現代化の一般法則、社会主義現代化の普遍法則、中国社会主義現代化の特殊法則を深く把握しただけでなく、中共の執政法則及び発展の背後にある経済法則、社会法則、自然法則、などによって中国の経済社会をより速く発展させる。最後に、解放思想は中国の視野を大きく広げ、中国に勇敢に対外開放の扉を開け、勇敢に世界市場に向かった。

二〇一七年一月十七日、習近平はスイスのダボス世界経済フォーラム二〇一七年年次総会の開幕式での主旨演説で「当時、中国は経済のグローバル化にも疑問を持ち、世界貿易機関（ＷＴＯ）への加盟も迷ったことがある。しかし、世界経済に溶け込むことは歴史の大きな方向であり、中国経済が発展するには、世界市場といった広大な海の中で泳ぐ勇気が必要であり、永遠に海の中で風雨を経て、世の中を見る勇気がなければ、いつか海の中で溺死するだろうと考えている。だから、中国は勇敢に世界市場に進出した。この過程で、私たちはおぼれたこともあり、渦に巻き込まれたことも有り、強風に遭ったこともあるが、私たちは次第に泳ぎ方をマスターした。これは正しい戦略的な選択だった」と述べた。世界貿易機関（ＷＴＯ）に加盟することが中国に不利をもたらすのではないかと心配していただけで、もし私たちが思想を解放しなければ、それはまるで海辺に立っている漁師のように、大きな魚を捕まえたいのに、岸辺に立って竿を振るだけで、永遠に良い収穫は得られなかっただろう。

思想の解放は一蹴ではなく、絶えず推進する過程であり、思想の解放は古い枠組みを突破するだけでなく、新しい枠組みを突破しなければならない。ここでいう新しい枠組みとは、成功した経験が教条化、固定化、神聖化され、自分のさらなる発展を制約していることを意味する。中国は思想解放のプロセスを絶えず推進しなければならない。二〇一八年一月二十三日、習近平総書記は中央全面深化改革指導グループの第二回会議を主宰し、重要な演説を発表した。彼は、改革・革新の精神を提唱し、思想の再解放、改革の再深化、仕事の再着実化を推進し、改革を全面的に深化させる強大な力を結集し、新しい起点で新たな突破を実現しなければならないと強調した。思想が再び解放されてこそ、改革開放がより深く推進されるのだ。中国は民生を保障・改善し、社会の公平と正義を促進し、発展の成果をより公平に全人民に恩恵をもたらすことを強調してきた。それを行うには、思想を解放する勇気と鋭気が必要だ。

㈡　改革開放は思想を解放するための強大な実践動力をもたらす

改革開放は無数の深層的な現実問題を提出し、思想の解放に直接的な要求を提供した。改革開放は最初から多くの理論と観念の問題を指摘している。例えば、社会主義と資本主義の違いは計画と市場にあるのか、社会主義の本質は計画経済ではないのか、資本主義の本質は市場経済ではないのか、といった問題だ。伝統的な社会主義理論は終始、市場経済が資本主義であることを強調し、資本主義政治家と経済学者もこの教条を信じている。一九九一年、英国のサッチャー元首相夫人が訪中した際、「社会主義と市場経済には互換性がなく、社会主義は市場経済を行うことができず、市場経済を行うには資本主義を実行し、私有化を実行しなければならない」と述べた。改革開放が提起した重大な問題は中国の思想解放と、理論革新を推進させ、社会主義市場経済理論を形成させた。一九七九年十一月、鄧小平はアメリカブリテン百科事典出版会社編集委員会のジブニ副主席などと会見し、談話の中で、鄧小平は初めて社会主義も市場経済もできるという思想を明確に指摘した。彼は「市場経済は資本主義社会にしか存在せず、資本主義の市場経済しか存在しないと言うのは正しくない。社会主義がなぜ市場経済をやってはいけないのか、これは資本主義とは言えない。我々は計画経済を主体とし、市場経済も結合しているが、これは社会主義の市場経済である。(中略)社会主義も市場経済を行うことができる」と述べた。[1] 四十数年に渡り、中国は社会主義市場経済体制を確立しただけでなく、体制の完備を成し遂げた。中国の特色ある社会主義の新時代に入り、中国はさらに市場が資源の配置の中で決定的な役割を発揮することを強調し、各種の市場主体が次々と現れ、社会創造力が盛んに発展している。

改革開放は無数の未来の問題を炙り出し、思想解放に方向と勢いを与えた。改革開放は進行形

(1) 鄧小平『鄧小平文選』第2巻(第2版)、北京、人民出版社、1994年、236頁。

のみであり完成形はない。中国の改革開放は永遠の未来に向けた改革開放である。習近平総書記は二〇一四年、「遠き慮りなき者は必ず近き憂いある。小康社会を全面的に完成させた後、道はどう行けばいいのか。『歴史周期率』からどのように飛び出し、長期執政を実行するのか、中共と中国の長治久安をどのように実現するのか。これらは私たちが深く考えなければならない重要な問題だ」と指摘した。[1] すべての問題は思想解放に方向を提供した。小康社会を全面的に建設した後、道はどう進むべきなのか。中共十九大は「二歩走（二段階に分けて進む）」という構想が提案された。第一段階は、二〇二〇年から二〇三五年まで、小康社会を全面的に建設した上で、さらに十五年間奮闘し、社会主義現代化を基本的に実現するといったものであった。第二段階は、二〇三五年から今世紀中葉まで、現代化を基本的に実現した上で、さらに十五年間奮闘し、中国を富強な民主文明と調和のとれた美しい社会主義現代化強国に建設するといったものだ。どのように「歴史周期率」から飛び出し、長期政権を実行するのか?中共は新時代の中共建設の総要求の思想を形成した。中共の全面的な指導を継続・強化し、党が党を管理し、全面的かつ厳格に党を治めることを堅持し、中共の長期的な執政能力の保持、および先進性と純潔性を強化することを主線とし、中共の政治建設を統括とする。理想と信念を固めることを基礎とし、全党の積極性、主体性、創造性を動員することを力点とし、党の政治、思想、組織、気設、規律の構築を行

（1）中共中央文献研究室『習近平の社会主義政治建設に関する論述の抜粋』、北京、中央文献出版社、2017年、84頁。

い、制度建設をその中で貫き、反腐敗闘争を深く推し進め、中共の建設の質を高める。中共の建設を終始時代の前列で歩ませることで中国人民が心から支持し、自己革命に勇敢で、様々な風浪の試練に耐え、活気に満ちたマルクス主義執政党とする。ではどのように中共と中国の長期的な安定を実現するのか？ここで、中共の中国の特色ある社会主義の基本理論、基本路線、基本方略の継続といった「三基本」の思想を形成した。中国の特色ある社会主義の基本理論はマルクス・レーニン主義、毛沢東思想、鄧小平理論、「三つの代表」の重要な思想、科学発展観及び習近平の新時代の中国の特色ある社会主義思想であり、これは中共と中国の長期的な安定を実現する思想の基礎である。中国の特色ある社会主義の基本路線は「一つの中心、二つの基本点」であり、経済建設を中心として、思想の四つの基本原則を継続し、改革開放を堅持することである。これは中共と中国の長期安定の生命線、中国人民の幸福線である。中国の特色ある社会主義基本方略は「十四の堅持」(1)であり、基本方略は中共の執政法則、社会主義建設法則、人類社会発展法則に対する新しい認識の結晶でもあり、中共と中国各民族人民が数多の理論探索を行った成果でもあ

(1) 一切の仕事に対する党の指導を堅持する。人民が中心であることを堅持する。改革の全面的深化を堅持する。新しい発展理念を堅持する。人民が主人公であることを堅持する。全面的に法に基づいて国を治めることを堅持する。社会主義の核心価値体系を堅持する。発展しながら民生の保障と改善を堅持する。人間と自然との共生を堅持する。総体的な国家安全保障観を堅持する。人民軍隊に対する中共の絶対的指導を堅持する。「一国二制度」と祖国統一の推進を堅持する。人間の運命共同体の構築の推進を堅持する。全面的に厳正に党を治めることを堅持する。(訳者注)

る。これは中共が中共・国家の長期的な安定を実現する上で根本的な保証となる。

㈣　改革の深化と開放の拡大において思想をさらに解放する

中国の特色ある社会主義は新時代に入り、それと共に改革開放も新時代に入り、解放思想も新時代に入った。中国の特色ある社会主義の新時代は富強な民主文明と調和のとれた美しい社会主義現代化強国を建設する時代であり、総合実力と国際影響力がリードする国になるには、国際社会に重要な影響を及ぼす思想家を大いに育成しなければならない。二千年以前、中国は世界に老子、孔子、墨子、荘子、孟子、孫子、荀子、管子、韓非子などの偉大な思想家を貢献し、今の世界に深く影響を及ぼしてきた。現代の中国はズボン、帽子、靴、靴下、ミシン、テレビ、自動車エンジンだけでなく、世界にもっと多くの思想家を貢献しなければならない。中国と世界の発展が直面している重大な問題をめぐって、中国の立場、中国の知恵、中国の価値を体現できる理念、主張、方案の提出に力を入れなければならないのだ。中国は世界に「舌の上の中国」[1]を知らせるだけでなく、「学術の中の中国」「理論の中の中国」「哲学社会科学の中の中国」、そして「発展中の中国」「開放中の中国」「人類文明に貢献する中国」を世界に知らせなければならない。

改革開放事業の日進月歩と波乱万丈は、私たちの想像力を覆す壮大な思想解放をもたらした。改革は絶えず奥行きに向かい、開放は絶えず全面に向かい、改革開放が提起した新しい問題はま

（1）二〇一二年五月に中国中央テレビで中国の食文化についての全七話の中華料理ドキュメンタリー番組「舌の上の中国」が放送された。（訳者注）

すます多く、大きく、複雑になり、我々の思想はより系統的で、より深い解放をしなければならない。そこで、中国人民の素晴らしい生活に対する憧れは私たちに大胆に思想を解放することを要求している。社会主義の条件の下で、社会は「すべての人に健康で有益な仕事を提供し、すべての人に豊かな物質の生活と自由な時間を提供して、すべての人に本当の十分な自由を提供する」(1)のだ。その為には中国が新しい視野で社会主義制度の完備を推進し、各方面の制度がこの目標の実現を保証できるようにする必要がある。次に、新時代に社会主義市場経済の完備を推進するには、中国が大胆に思想を解放する必要がある。社会主義市場経済はすでに三十年近くの過程を歩み、社会主義基本制度と市場配置資源の優位性は互いに結合し、中国経済の急速な成長を推進している。同時に、一連の複雑な難題が私たちの前に置かれ、市場は資源を配置して決定的な役割を果たす過程で所得分配の格差を拡大する可能性があり、政府がどのように二次分配、三次分配の中で効果的に格差を縮小するかは、私たちの思想解放にあり、問題の解決方法のみにとどまることはできない。社会主義市場経済の発展は今日に至るまで、政府と市場の関係をうまく処理するだけでなく、中共と市場経済の関係をうまく解決し、中共が社会主義市場経済を制御する能力を絶えず高め続ける必要がある。中国では、中共の強力な指導が政府の役割を果たす根本的な保証であるだけでなく、市場が資源の配置において決定的な役割を果たす根本的な保証でもあ

(1) マルクス、エンゲルス『マルクスエンゲルス全集』第21巻、北京、人民出版社、1965年、570頁。

るのだ。

六　中華民族の偉大な精神を発揚し、偉大な時代精神を作り上げる

二〇一八年三月二十日、習近平総書記は第十三期全国人民代表大会（全人代）第一回会議での演説で、中国人民が偉大な創造精神、偉大な奮闘精神、偉大な団結精神、偉大な夢を持つ人民であることを明らかにした。これは中華民族の偉大な精神に対する新しい解釈であり、中華民族の偉大な復興を実現することにとって大きな意義を持つ。

㈠　中華民族の偉大な精神は非凡な創造性で有名な精神である

このような非凡な創造は物質文明だけでなく、精神文明、制度文明にも現れている。物質文明にとって、中国古代の四大発明は世界の発展に深く影響した。一六二〇年、イギリスの思想家フランシス・ベーコンは『ノヴム・オルガヌム』という本の中で、印刷術、火薬、羅針盤が世界を変えたと指摘した。変化がこんなに大きくて、いかなる帝国も、いかなる教派も、いかなる赫々たる人物も、この三種の発明以上の力と影響を人類の事業に及ぼすものはない。二百四十年以上が経ち、マルクスは『経済学批判　一八六一―一八六三年草稿』でさらに「火薬、羅針盤、印刷術――これはブルジョア社会の到来を予告する三大発明である。火薬は騎士階級を粉々に爆破し、羅針盤は世界市場を開き植民地を築いたが、印刷術は新教の道具となり、総じて科学復興の手段

となり、精神発達に必要な前提を創造するための最も強力なてことなった」と明確に指摘した。[(1)]上述の言葉を、習近平総書記が二〇一六年五月三十日の中国全国科学技術革新大会、両院院士大会、中国科学技術協会第九回全国代表大会での演説で特に引用した。現代中国では、物質文明の創造はさらに日進月歩である。

精神文明について言えば、中国は老子、孔子、荘子、孟子、墨子、孫子、管子、荀子、韓非子など今までの偉大な思想巨匠を生んだだけでなく、「詩経」、「楚辞」、漢賦、唐詩、宋詞、元曲、明清小説などの偉大な文芸作品や「グサル王」「マナス」「カンゲル」など、人の心を揺さぶる偉大な史詩が作られている。

制度文明について言えば、中国人は春秋戦国時代に郡県制を発明し、秦漢は郡県制を確立した。これは中国の行政管理体制の重大な改革であるだけでなく、中国古代社会の進歩と発展過程における政治制度建設の前例のない非凡な革新でもある。この点、イギリスの二十世紀の有名な歴史学者アーノルド・J・トインビーは『歴史の研究』（イラストブック）ですばらしい評価を受けた。彼は「ギリシャ化した都市市民と中国の農民が作った行政体制は、これまで世界で最もすばらしい二つの世俗制度かもしれない。（中略）ローマ帝国の行政体制はアウグストゥスが設立してから七世紀目に崩壊したが、漢の行政体制はそれより百五十年も古いにもかかわらず、一九一一年

（1）マルクス、エンゲルス『マルクスエンゲルス全集』第47巻、北京、人民出版社、1979年、427頁。

まで存続した」と述べた。この体制は中華文明の安定性を効果的に維持した。

㈡　中華民族の偉大な精神は卓越した奮闘で有名な精神である

このようなすばらしい奮闘は中国の広大で美しい大好河山の開発と建設だけでなく、星羅棋布の都市と農村の建設にも現れている。不器用な千百本の大江大河を治めるために、秦代以前、中国の古人は都江堰、鄭国渠などの大型な水利工事を建設した。隋王朝には、南北を縦断する大運河が開通し、世界で最も偉大な工事の一つとなった。二〇一七年十月、メキシコシティで開催された世界灌漑排水委員会の執行大会で、寧夏自治区の黄河古灌区、陝西省の漢中三堰、福建省の黄鞠灌漑プロジェクトの三カ所の古代水利プロジェクトが世界灌漑プロジェクト遺産の申請に成功し、認可を受けた。当代中国では、「南水北調」プロジェクトが戦略プロジェクトとなった。五十年の論証、十年以上の建設を経て、二〇一三年五月三十日、南水北調東線の第一期工事江蘇段は試験通水に成功した。二〇一四年十二月十二日、中線第一期工事が全面的な通水を実現した。「南水北調」プロジェクトは億万の中国人民に幸福をもたらす利民プロジェクトとなった。

生活をより美しくするために、中国の古人は多くの産業を創建した。シルク産業を例にとると、商代から綺（紋様のある絹織物）、紗、縑（多く書画を書くのに用いる堅く織った絹）、紈、縠、羅などの品種が出始めた。古代中国の鉄鋼製錬鋳造技術は発達し、品質と生産量は十六世紀以前から世界をリードしていた。改革開放以来、中国人は産業分野で奮発して進取し、実に世界五百種類以上の主要工業製品の中で、中国の二百二十種類以上の製品の生産量が世界一を占めている。中共十八大以来、中国は「中国製造二〇二五（メイド・イン・チャイナ２０２５）」を実施し、工業基盤強化、スマート製造、グリーン製造などの重大プロジェクトを推進し、先進製造業の発展を加速させた。

生活をより便利にするために、中国は古代から多くの町を発展させた。唐代の長安城の面積は八十平方キロメートル、人口は一〇〇万人を超えて、東西の両市は非常に繁栄し、唐の詩人である岑参の「長安城中百万家」の一句を産んだ。習近平総書記は改革開放四十周年を祝う大会での演説でも、中華民族が波濤万里のシルクロード長歌を書き、長安にある万里衣冠の盛唐光景を創造したと指摘した。北宋の頃、国家税収のピークは一・六億貫に達し、当時世界で最も裕福な国だった。当時、ロンドン、パリ、ベネチア、フィレンツェの人口は十万人未満だったが、中国は十万人以上の人口を持つ都市が五十近くあった。南宋時代、水路交通と商業の発達に伴い、長江両岸には多くの町が現れた。臨安属県には十五の市鎮があり、建康城の外には十四の市鎮があり、江陵府沙市と太平州黄池鎮は「客商が集まる」有名な市鎮であり、瀘州の各県にも五十以上の市鎮がある。現代中国では、新型都市化が加速し、都市化率は二〇一二年の五二・六％から二〇一七年の五八・五％に上昇し、人口の六〇％近くが都市に住んでいる。中国は中国の特色ある社会主義の農村振興の道を歩み、農村振興戦略を実施し、二〇二〇年までに農村振興といった重要な進展を遂げ、制度の枠組みと政策体系を形成させる。二〇三五年までに、農村振興は決定的な進展を遂げ、農業と農村の現代化は基本的に実現される。そして二〇五〇年までに、農村は全面的に振興され、農業が強く、農村が美しく、農民が豊かであることが全面的に現れるのだ。

㈢　中華民族の偉大な精神は空前の凝集融合で有名な精神である

このような凝集融合は統一された多民族国家を設立しただけでなく、中国を守り、外部からの屈辱を防ぐ壮麗な史詩を何度も共同で書いたことにも現れている。多民族は中国の一大特色であり、中国の発展の一大有利な要素でもある。この特色と有利な要素は各民族が長期の歴史発展の中で共同で創造したものである。習近平総書記は二〇一四年九月二十八日に開かれた中央民族工作会議での演説で、「中国の五千年余りの文明発展の歴史の中で、かつて多くの民族が歴史の舞台に登ったことがある。これらの民族は誕生、分化、融合を経て、最終的に今日の五十六の民族を形成した。各民族は中国の美しい山河、広大な土地を共同で開発し、共に悠久な中国の歴史、輝かしい中華文化を創造した。秦漢の雄風、盛唐の光景、康乾の盛世は、各民族が共に鋳造した輝きなのだ。多民族の大統一、各民族の多元一体は、祖先が私たちに残した重要な財産であり、わが国の重要な優位性でもあると言える」と話した(1)。秦の始皇帝が中国を統一した後、百越は正式に漢民族の大家族の一員となり、嶺北と嶺南人民の融合と嶺南社会の政治、経済と文化の発展を促進し、中国の多民族中央集権国家を統一する基本的な構造を打ち立てた。今の中国では、各民族が調和して共存し、ザクロの種のようにしっかりと抱き合って、中華民族の偉大な復興を実

(1)　習近平『習近平　国政運営を語る』第2巻、北京、外文出版社、2017年、299頁。

現するために奮闘している。

中華民族は五千年以上の歴史発展の過程で、無数の困難と苦しみに直面したが、いつも危機をチャンスに変えてきた。中でも苦しみが強ければ強いほど、民族の凝集力が強くなることには定評がある。特にアヘン戦争後、中華民族は「千年ぶりの大変局」に遭遇し、外部からの侵略が深まり、中華民族は最も危険な時を迎えた。このような状況の下で、中国の各民族の人民は緊密に団結し、中国共産党の指導の下で、血を浴びて奮闘し、極めて凶悪な侵略者を打ち負かし、民族の独立と自由を守り、中華人民共和国を設立し、新民主主義から社会主義への転換を創造的に実現し、各民族を社会主義社会に共同で進出させ、中国の歴史上最も広く最も深い社会変革を実現した。中共は団結して中国人民を率いて改革開放の新しい偉大な革命を行い、中国人民が立ち上がって、豊かになってから強くなるまでの偉大な飛躍を実現したのだ。

(四) 中華民族の偉大な精神は延々と続く夢に満ちた精神である

この精神は五千年以上の文明史にも現れ、近代以来の歴史にも現れている。現在、中国は小康社会を全面的に建設する決勝段階にある。小康の夢は百年の夢だけでなく、千年の夢でもある。「小康」という言葉のルーツは『詩経』の「民も亦苦労し、小康を求む」といった一文で、すなわち庶民であっても休みがあれば、食べたり飲んだりし、楽しみさえあれば、それは小康、つまりゆとりある生活であると言えるといったものであった。社会モデルとして、小康は西漢儒家の経典『礼記』「礼運」の中で系統的な論述を得た。後漢（東漢）の末年になると、儒家の代表的人物である何休の『春秋公羊解詁』は、社会の発展には三つの段階があり、すなわち乱れた世――昇平の世――太平の世を説いた。このうち第二段階の昇平の世が「小康社会」に等しいものであった。小康の理想は千年以来の中国人の夢と言える。一九七九年十二月六日、鄧小平は日本の大平正芳首相との会見時、「小康」という言葉を使って中国式の現代化を描いた。彼は「我々が実現しなければならない四つの現代化は、中国式の四つの現代化である。我々の四つの現代化の概念は、あなた方のような現代化の概念ではなく、『小康の家』である。今世紀末までに、中国の四つの現代化が何らかの目標を達成しても、我々の国民総生産の一人当たりのレベルはまだ低い。国のレベル、例えば国民総生産が一人当たり一〇〇〇ドルに到達することも、大きな努力を払わなければならない。だから、私は中国がその時までは、まだ小康の状態であったとしか言いようがない」と話した。[1] 二〇〇〇年、中共第十五期中央委員会第五回全体会議（五中全会）では中共が小康社会を全面的に建設する時期に入ることが提案された。中共十六大は二〇二〇年までに小康社会を全面的に建設することを提案した。ここにおける「全面」は何を意味するのか。小康社会を全面的な建設における「全面」の意味は非常に豊富である。(1) 小康は物質的な小康だけでなく、精神的な「小康」、政治的な「小康」、法治的な「小康」、信用的な「小康」、生態環境上の「小康」などもあり、社会の各方面を含まなければならない。一つのレベルの「小康」だけが全面的に小

（1）　鄧小平『鄧小平文選』第2巻（第2版）、北京、人民出版社、1994年、237頁。

康を築くとは言わない。⑵中国全国のすべての地域が実際に小康の最低基準線を超えたことを全面的に意味する。⑶中国全国のほとんどの人の実際の収入レベルが小康のベースラインを全面的に超えていること、つまり中所得層が拡大し、絶対的な貧困を撲滅していることを意味する。

中共十七大の報告は小康社会を全面的に建設する新しい要求を提出した。中共十八大の報告の中で、胡錦濤はまた小康社会の全面的な建設の要求を明確に発表した。そして中共第十八期中央委員会第五回全体会議（五中全会）では小康社会を全面的に建設する新しい目標と要求が出された。その内容は、⑴経済は中高速成長を維持している。発展のバランス性、包容性、持続可能性を高めた上で、二〇二〇年までに中国の国内総生産と都市と農村住民の一人当たりの収入は二〇一〇年より二倍になる。産業は中高級レベルに向かい、先進製造業は発展を加速させ、新産業の新業態は絶えず成長し、サービス業の比重はさらに上昇し、消費の経済成長への貢献は大幅に増加する。⑵中国人民の生活水準と質が普遍的に向上する。就業が比較的に十分で、就業、教育、文化、社会保障、医療、住宅などの公共サービス体系がより健全で、基本公共サービスの均等化レベルが着実に向上する。中国の現行の基準の下で農村の貧困人口は貧困脱却を実現し、貧困県はすべて貧困県の帽子を脱いで、地域性全体の貧困を解決する。⑶国民の素質と社会文明の程度が著しく向上する。「中国の夢」と社会主義の中核的価値観はさらに人の心に深く入り込み、愛国主義、集団主義、社会主義思想は広く発揚され、向上して善に向かい、誠実で互助する社会の気風はさらに濃厚で、人民の思想道徳素質、科学文化素質、健康素質は明らかに向上し、社会全体の法治意識は絶えず強まっている。(4)生態環境の質が全体的に改善される。生産方式と生活様式はグリーン、低炭素レベルが上昇する。エネルギー資源の開発利用効率が大幅に向上し、エネルギーと水資源の消費、建設用地、炭素排出総量が効果的にコントロールされ、主要汚染物質排出総量が大幅に減少する。(5)各方面の制度がより成熟し、より定型化される。国家の管理体制と管理能力の現代化は大きな進展を遂げ、各分野の基礎的な制度体系は基本的に形成される。人民の民主はさらに健全になり、法治政府は基本的に完成し、司法の公信力は大幅に向上する。人権は確実に保障され、財産権は有効に保護されている、といったものであった。

中共十九大報告は、これから二〇二〇年までに、小康社会を全面的に建設する決勝期であることが明らかにされた。中共十六大、十七大、十八大で採択された小康社会の全面的建設の各要求に基づき、中国の社会の主要な矛盾と変化をしっかりと押さえ、経済、政治、文化、社会、生態文明の建設を統一的に推進し、科学教育興国戦略、人材強国戦略、革新駆動発展戦略、農村振興戦略、地域協調発展戦略、持続可能な発展戦略、軍民融合発展戦略は、重点を際立たせ、短所を補い、弱点項目を強化し、中でも特に重大なリスクを防止・解消し、貧困から正確に脱却し、汚染・予防・治療する難関攻略戦を断固としてしっかりと行い、小康社会を全面的に建設し、人民の承認を得ながら、歴史的な検証に耐えられるようにしなければならないのだ。

『礼記』「礼運」は未来の社会に対して非常に細かく描写した。「大きな行いが施行される時、天下は人々共同のものであり、品格の高尚な人、有能な人が選抜され、誰もが誠実さを重んじて、和睦を育成する。そのため、人々は自分の家族を家族のために扶養するだけでなく、自分の子供を育てるだけでなく、高齢になっても晩年を安らかに楽しむことができ、壮年者が社会のために力を尽くすことができ、子供を健康に成長させ、老いぼれて妻がいない人、老いぼれて夫がいない人、幼くて父がいない人、老いぼれて子供がいない人、障害者を扶養する」といった具合だ。中国の特色ある社会主義制度の基礎の上で、中国国民は幼い頃に育てられ、学めば教えがあり、労働すれば収入があり、病気になれば医者があり、老えば養われ、衣食住に困らないといった面で、絶えず新しい進展を遂げ続けている。二千年以前の法家の代表的な人物である韓非子もその理想的な国家と社会の図景を描いた。それが「至安の世」である。中国は法治の中国を建設し、法治の角度から公平と正義の実現を保障している。習近平総書記は中共第十八期中央委員会第四回全体会議（四中全会）に行った「法に基づく治国を全面的に推進する若干の重大な問題に関する中共中央の決定」に関する説明の中で、「私はかつてイギリスの哲学者フランシス・ベーコンの言葉を引用して、『不公正な裁判では、その悪果は十回以上の犯罪を招いた。犯罪は法律を無視しているからだ。水を汚染しているようだが、不公正な裁判では法律を破壊している。水源を汚染しているようだ』といったが、この論理は奥が深い。もし司法という防衛線が公信力に欠けているなら、社会の公正が疑われ、社会の調和と安定が保障されにくいだろう」と述べた。[1]

（1）　習近平「『中共中央の法に則って国を治めることの全面的推進における若干の重大問題に関する決定』についての説明」、人民日報、２０１４年10月29日。

中華民族の夢は源流が長いだけでなく、百年、千年を超え、人類の美しい生活に対する追求を体現し、強い生命力を持っている。中華民族の壮大な夢はユートピアではなく、実現できるすばらしい理想であり、中華民族はこれまで着実に夢のために努力してきたからだ。伏義畫卦、神農嘗草、夸父逐日、精衛填海、愚公移山などの古代神話は中国人が夢のために奮闘する執着を反映し、毛沢東の「到中流撃水、浪遏飛舟（中流に到りて水を撃ち、浪飛ぶがごとき舟を遏めしこと」「敢教日月換新天（敢あへて日月をして新しき天に換かへ教しむ）」、周恩来の「面壁十年図破壁、難酬蹈海亦英雄（面壁十年　壁を破るを圖《はか》り、酬《むく》はれ難き、海に蹈《ふ》みだすも亦た英雄）」、朱徳の「錦繍河山收拾好、万民盡作主人翁（錦繍河山を片付けて、万民は主人翁になる）」という思想は中共党員が夢のために奮闘する精神を反映しているのだ。

著者紹介

辛　向陽（シン・シアンヤン）中国社会科学院マルクス主義研究院副院長、中国社会科学院大学マルクス主義学院院長。法学博士。主な著書に『未来経済学』（人民出版社）、『新政府論』（工人出版社）、『国内外民主理論要覧』（中国人民大学出版社）など。

中国の小康社会とは何か

2022年4月1日　初版第1刷発行

著　　者　辛向陽
訳　　者　蒲田啓世
監訳・発行者　劉偉
発 行 所　グローバル科学文化出版株式会社
〒140-0001 東京都品川区北品川 1-9-7 トップルーム品川 1015 号
印刷・製本　モリモト印刷株式会社

ISBN 978-4-86516-072-7　C0036
定価 3278 円（本体 2980 円＋税 10%）